W9-BBZ-797

Francesco Di Natale – Nadia Zacchei

In bocca al lupo!

Espressioni idiomatiche e modi di dire tipici della lingua italiana

Seconda edizione riveduta e ampliata

ISBN 88-7715-191-9

INDICE

Scopo di questo lavoro è di offrire un testo pratico, vivo, uno strumento dinamico che renda consapevole lo studente, in particolare quello straniero, dell'esistenza di numerosi modi di dire particolari al fine di facilitargli lo studio e la comprensione dell'italiano. Non a caso l'apprendimento di una lingua straniera dovrebbe portare l'allievo al raggiungimento della "competenza comunicativa" che, nella definizione di W. D'Addio Colosimo, consiste nella "capacità di riconoscere e produrre messaggi non soltanto grammaticalmente corretti, ma anche personalmente motivati ed appropriati al contesto di situazione" [1].

Per quanto riguarda, poi, i mezzi di arricchimento della lingua italiana, non va dimenticato che questi, secondo P. Zolli, sono fondamentalmente quattro: "l'acquisizione di elementi nuovi da altri sistemi linguistici, la formazione di nuove parole con elementi preesistenti, il cambiamento di categoria grammaticale e lo spostamento di significato di parole già in uso [2].

In questo ultimo caso, quindi, non ci troviamo di fronte a nuovi vocaboli ma a termini già esistenti che assumono un significato che prima non avevano. Lo stesso dicasi spesso delle locuzioni idiomatiche che contribuiscono ad arricchire il lessico italiano e che ne costituiscono uno dei settori più importanti. Tra le

[1] W. D'Addio Colosimo, *Lingua straniera e comunicazione. Problemi di Glottodidattica*, Bologna, 1974, p. 6.

[2] P. Zolli, *Come nascono le parole italiane,* Milano, 1989, p. 7.

"frasi fatte" più comuni e più strane sono numerose quelle che si riferiscono a popoli stranieri:

"fare l'indiano", "fare il portoghese", "fumare come un turco", ecc. Da notare, però, che tali modi di dire con il passare del tempo hanno cambiato di significato anche perché usati con valori metaforici. Spesso si tratta di veri e propri eufemismi, come ad esempio "passare a miglior vita", "essere in stato interessante", ecc., o addirittura di giochi di parole: "non battere un chiodo", ecc. Comunque nella nostra società moderna i modi di dire, entrati nell'uso comune, sono ormai legati sempre più alle macchine e ai congegni meccanici: "fare il pieno", "partire in quarta", "essere su di giri", ecc. Un campo, poi, che ha trasmesso diverse espressioni è quello sportivo, basti pensare, ad esempio "gettare la spugna", "mettere alle corde", "mettere K.O", "seguire a ruota", "essere in dirittura d'arrivo", "salvarsi in corner", ecc.. Anche gli animali hanno sempre avuto nella vita dell'uomo una grande importanza e di conseguenza il loro uso metaforico non è certo un caso: "fare la civetta", "prendere il toro per le corna", "versare lacrime di coccodrillo", ecc.. In altri casi si tratta di espressioni di origine latina: "fare tabula rasa", "essere il deus ex machina", "fare un excursus", "consegnare brevi manu", "vedere de visu", ecc.. Quindi è evidente come tali modi di dire abbiano spesso un'origine antica: usi, costumi, oggi a volte scomparsi e non sempre comprensibili. Ad esempio "fare la spola", dalla filatura cioè dalla tecnica di far andare avanti e dietro la spola tra i fili dell'ordito, è una delle tante espressioni figurate che sopravvive al tempo e al cambiamento delle tecniche di lavoro.

"Lavarsene le mani" deriva dal gesto compiuto da Ponzio Pilato in occasione del processo a Gesù e così via. Anche le parti del corpo umano hanno contribuito a diverse e colorite espressioni, come ad esempio "alzare il gomito", "essere in gamba", "essere con l'acqua alla gola", "avere le mani bucate". Da notare, inoltre, che una caratteristica delle locuzioni idiomatiche è la "struttura", basata su pochi elementi che riescono a riassumere in maniera sintetica un intero discorso: "campa cavallo!", "acqua in bocca!", ecc.. Per quanto riguarda poi la "forma", è molto frequente il ricorso a figure retoriche che hanno lo scopo di trasmettere un messaggio il più immediato possibile, come ad esempio la metafora, l'iperbole, l'allegoria e la personificazione. Quindi, nonostante le numerose fonti da cui possono avere origine, come la Sacra Bibbia, la lingua latina, la vita quotidiana, la letteratura, l'arte, la musica, la storia, le leggende, ecc., possiamo affermare senza ombra di dubbio che i modi di dire sono ormai entrati di diritto a far parte della nostra storia linguistica e della nostra cultura.

MODI DI DIRE ED ESPRESSIONI IDIOMATICHE

I significati sono intesi in senso figurato.

– A –

ABBASSARE LA CRESTA
Mettere da parte l'orgoglio

ABITARE FUORI MANO
Abitare in un luogo non facilmente raggiungibile

A BIZZEFFE
In abbondanza

ABBRACCIARE UNA FEDE (RELIGIOSA, POLITICA, ECC. ...)
Aderire ad una religione, ad un'idea politica, ecc. ...

ACCETTARE CON IL BENEFICIO D'INVENTARIO
Accettare con riserva, con il beneficio del dubbio

A COLPO D'OCCHIO
Che risalta subito alla vista

ACQUA IN BOCCA!
È un invito a tacere

ADAGIO ADAGIO!
È un invito alla cautela

"AD HOC" (latino)
Fatto apposta, appropriato

AD OGNI MORTE DI PAPA
Molto raramente

AFFOGARE IN UN BICCHIERE D'ACQUA
Perdersi per un nonnulla

ALL'ACQUA DI ROSE
Privo di incisività

ALLEVARE UNA SERPE NEL SENO
Aiutare chi, poi, si rivelerà un ingrato

L'ALTRA FACCIA DELLA MEDAGLIA
Ogni situazione ha il suo aspetto positivo e quello negativo

ALZARE IL GOMITO
Bere troppo... e non certo acqua!

ALZARE IL TIRO
Passare ad un programma più ambizioso

ALZARE I TACCHI
Andarsene in fretta

ALZARE LA CRESTA
Diventare arrogante

AMMAZZARE IL TEMPO
Far passare il tempo

ANDARE A BRIGLIA SCIOLTA
Andare di gran corsa

ANDARE A FAGIOLO
Piacere, andare bene

ANDARE A GENIO
Piacere

ANDARE A GONFIE VELE
Ottenere ottimi risultati

ANDARE AL CREATORE
Morire

ANDARE A LETTO CON LE GALLINE
Andare a dormire molto presto

ANDARE ALL'ALTRO MONDO
Morire

ANDARE AL MASSIMO
Essere in gran forma

ANDARE A NOZZE
Essere avvantaggiato da una determinata situazione

ANDARE A PENNELLO
Andare alla perfezione

ANDARE A ROTTA DI COLLO
Andare di gran corsa

ANDARE A RUBA
Essere molto richiesto

ANDARE A SPRON BATTUTO
Andare a tutta velocità

ANDARE A TUTTA BIRRA
Andare a tutta velocità

ANDARE A TUTTO GAS
Andare a tutta velocità

ANDARE A VUOTO
Fallire un obiettivo

ANDARE COL VENTO IN POPPA
Ottenere ottimi risultati

ANDARE CON I PIEDI DI PIOMBO
Essere prudenti

ANDARE CONTROCORRENTE
Non seguire le mode e le ideologie correnti, non pensarla come gli altri

ANDARE CONTROMANO
Procedere in senso inverso

ANDARE DI GRAN CARRIERA
Andare a tutta velocità, di fretta

ANDARE DI PARI PASSO
Procedere in modo uguale

ANDARE IN BESTIA
Arrabbiarsi

ANDIARE IN BIANCO
Non concludere nulla

ANDARE IN BRODO DI GIUGGIOLE
Essere molto contenti

ANDARE IN FUMO
Svanire

ANDARE IN SOLLUCCHERO
Provare grande gioia

ANDARE IN TILT
Bloccarsi

ANDARE IN VISIBILIO
Entusiasmarsi

ANDARE K.O.
Andare fuori combattimento, non riuscire a recuperare

ANDARE NEL PALLONE
Confondersi e bloccarsi

ANDARE PER LA MAGGIORE
Essere di gran moda, di grande attualità

ANDARE PER LE LUNGHE
Protrarsi di una situazione

ANDARE SU TUTTE LE FURIE
Arrabbiarsi molto

A OCCHIO E CROCE
Pressappoco, circa

A POSTERIORI
Dopo

APPENDERE AL CHIODO QUALCOSA
Ritirarsi da un'attività, da uno sport

A PRIORI
Prima

A RAGION VEDUTA
Dopo aver ragionato

ARRAMPICARSI SUGLI SPECCHI
Cercare di giustificarsi inutilmente

ARRICCIARE IL NASO
Fare lo snob

ARRIVANO I NOSTRI!
Una conclusione facilmente prevedibile

A SANGUE FREDDO
Senza emozionarsi

A SBAFO
Gratis, senza pagare nulla

A SCROCCO
Gratis, senza pagare nulla

ASPETTARE LA MANNA DEL CIELO
Aspettare passivamente che si verifichi qualcosa

ATTACCARE (UN) BOTTONE
Costringere qualcuno ad ascoltare qualcosa che non gli interessa

A UFO
Gratis, senza pagare nulla

AVERE CARTA BIANCA
Avere piena facoltà d'agire

AVERE DEGLI SCHELETRI NELL'ARMADIO
Nascondere qualcosa

AVERE DEI NUMERI
Avere grandi qualità, buone capacità per riuscire

AVERE DELL'ASCENDENTE
Avere prestigio, influenza, autorità

AVERE FEGATO
Essere coraggiosi

AVERE IL BERNOCCOLO
Avere attitudine, ad esempio per gli affari

AVERE IL COLTELLO DALLA PARTE DEL MANICO
Essere in posizione di vantaggio rispetto agli altri

AVERE IL DENTE AVVELENATO
Provare del risentimento

AVERE IL DONO DELL'UBIQUITÀ
Trovarsi in più posti contemporaneamente

AVERE IL PARAOCCHI
Guardare solo in una direzione

AVERE IL PELO SUL CUORE
Essere insensibile

AVERE IL SANGUE AGLI OCCHI
Essere molto arrabbiato

AVERE I PIEDI PER TERRA
Vivere nella realtà; essere pratici, concreti

AVERE LA CODA DI PAGLIA
Sospettare sempre di tutto sapendo di essere il colpa

AVERE L'ACQUA ALLA GOLA
Essere in gravi difficoltà

AVERE LA FACCIA DI BRONZO
Essere una persona sfrontata

AVERE LA LINGUA LUNGA
Avere l'abitudine di parlare troppo

AVERE LA LUNA DI TRAVERSO
Essere di cattivo umore

AVERE LA PELLE D'OCA
Rabbrividire

AVERE LA PUZZA SOTTO IL NASO
Essere snob

AVERE L'ARGENTO VIVO ADDOSSO
Essere molto irrequieto

AVERE L'ASSO NELLA MANICA
Essere padrone della situazione

AVERE LA TESTA DA UN'ALTRA PARTE
Essere distratto

AVERE LA TESTA FRA LE NUVOLE
Essere distratto

AVERE LA TESTA QUADRATA
Essere molto responsabile

AVERE LA TESTA SULLE SPALLE
Essere responsabile

AVERE LE MANI BUCATE
Spendere i soldi con estrema facilità

AVERE LE MANI IN PASTA
Essere coinvolto in un affare

AVERE LE MANI LEGATE
Essere impossibilitati a fare qualcosa

AVERE LE SPALLE COPERTE
Essere protetti da qualcosa o da qualcuno

AVERE LO STOMACO DI STRUZZO
Mangiare e digerire tutto

AVERE NASO
Avere fiuto, capire subito le situazioni

AVERNE FIN SOPRA I CAPELLI
Essere stufi di qualcosa o di qualcuno

AVERE PAURA DELLA PROPRIA OMBRA
Avere paura di tutto

AVERE QUALCHE SANTO IN PARADISO
Essere raccomandato, godere di grosse protezioni

AVERE QUALCUNO SULLE SPALLE
Dover provvedere a qualcuno

AVERE SALE IN ZUCCA
Essere molto intelligente

AVERE SETTE VITE (COME I GATTI)
Resistere a malattie, incidenti, problemi; esseri duri a morire

AVERE UNA BELLA GATTA A PELARE
Avere un grosso problema da risolvere

AVERE UNA BRUTTA CERA
Avere un brutto aspetto

AVERE UNA FACCIA TOSTA
Essere sfacciato

AVERE UNA MARCIA IN Più
Avere qualcosa in più degli altri

AVERE UNA PAROLA SULLA PUNTA DELLA LINGUA
Cercare di ricordare una parola, senza riuscirci

AVERE UNA SPINA DEL FIANCO
Essere continuamente tormentato da un problema

AVERE UN ASSO NELLA MANICA
Essere padrone della situazione

AVERE UNA VISTA D'AQUILA
Vederci molto bene

AVERE UN DIAVOLO PER CAPELLO
Essere molto arrabbiati

AVERE UN NODO ALLA GOLA
Essere angosciati da qualcosa

AVERE VOCE IN CAPITOLO
Potere esprimere la propria opinione personale

AVERE L'AMARO IN BOCCA
Essere delusi o dispiaciuti

AVERE SCOPERTO L'AMERICA
Credere di avere scoperto qualcosa che invece è già noto a tutti

AVERE LA BAVA ALLA BOCCA
Essere molto arrabbiati

AVERE BENI AL SOLE
Avere case, terreni, ecc. ...

AVERE IL BALLO DI SAN VITO
Essere irrequieti

AVERE LE CARTE IN REGOLA
Avere tutti i requisiti necessari

AVERNE FIN SOPRA I CAPELLI
Non poterne più

AVERE UN CHIODO FISSO
Avere un'idea fissa

AVERE LA COSCIENZA SPORCA
Avere fatto qualcosa di brutto

AVERE UN CONTO APERTO (o in sospeso)
Avere una questione o un problema da risolvere

AVERE A CUORE
Interessarsi in modo particolare

AVERE UN DEBOLE PER QUALCUNO
Avere una preferenza per qualcuno

AVERE UN CUORE GRANDE
Essere molto generosi

AVERE UN CUORE D'ORO
Essere molto buoni e generosi

AVERE UNA DEFORMAZIONE PROFESSIONALE
Essere condizionati nel modo di pensare dalla propria professione

AVERE L'ETÀ DELLA RAGIONE
Essere adulti

AVERE FIUTO
Avere intuito

AVERE SECONDI FINI
Avere scopi nascosti

AVERE UNA FAMA DA LUPI
Avere molta fame

AVERE I GIORNI CONTATI
Essere vicini alla fine

AVERE GRILLI PER LA TESTA
Avere delle idee strane e poco realizzabili

AVERE UN'INFARINATURA
Conoscere in maniera superficiale

AVERE UN LAMPO DI GENIO
Avere un'idea geniale

AVERE LA LINGUA SCIOLTA
Avere facilità di parola

AVERSENE A MALE
Offendersi

AVERCELA A MORTE
Odiare

AVERE BUON NASO
Avere intuito

AVERE I NERVI A FIOR DI PELLE
Essere tesi e ansiosi

AVERE I NERVI DI ACCIAIO
Non perdere mai il controllo di se stessi

AVERE I MINUTI CONTATI
Avere molta fretta

AVERE LA MEGLIO
Avere il sopravvento

AVERE LA MANO FELICE
Avere fortuna nella scelta

AVERE LA MANO PESANTE
Essere severi nelle punizioni

AVERE LE MANI PULITE
Essere onesti

AVERE OCCHIO CLINICO
Saper valutare bene cose e persone

AVERE ORECCHIO PER LA MUSICA
Essere intonati

AVERE SANTI IN PARADISO
Avere amici e protettori molto importanti

AVERE (DELLE) ROGNE
Avere dei guai

AVERE POLSO
Essere decisi

AVERE UN PESO SULLO STOMACO
Avere un grosso problema da risolvere

AVERE TUTTE LE CARTE IN REGOLA
Avere tutti i requisiti richiesti

AVERE IL SANGUE BLU
Essere di nobile famiglia

AVERE UNA SALUTE DI FERRO
Godere di ottima salute

AVERE SANGUE FREDDO
Mantenere il controllo di se stessi

AVERE UN SESTO SENSO
Avere un intuito particolare

AVERE PRESENZA DI SPIRITO
Reagire con prontezza

AVERE (LA) STOFFA
Avere talento, predisposizione

AVERE LE TRAVEGGOLE
Vedere o pensare cose che non esistono

AVERE FATTO IL PROPRIO TEMPO
Non essere più di moda, attuali

AVERE IL TEMPO CONTATO
Avere fretta

AVERE LA TESTA A POSTO
Essere responsabili

AVERE TORTO MARCIO
Avere completamente torto

AVERNE DA VENDERE
Avere qualcosa in grossa quantità

AVERE LA VISTA LUNGA
Essere lungimiranti

AVERLA VINTA
Ottenere ciò che si vuole

AMICI PER LA PELLE
Amici inseparabili

AGITARE LE ACQUE
Creare caos, confusione

ACQUA PASSATA
Qualcosa che appartiene al passato

AGO DELLA BILANCIA
Elemento importante di equilibrio

ABBOCCARE ALL'AMO
Cadere in un tranello

ANIMA IN PENA
Persona che non trova pace

ARMA BIANCA
Arma da taglio

ATTO DI PRESENZA
Presenza solo formale

AVANZO DI GALERA
Delinquente

ABBASSARE LA GUARDIA
Smettere di stare in difesa

A BOCCE FERME
Con calma, a posteriori

ACCONTENTARSI DELLE BRICIOLE
Accontentarsi di poco

AL CANTO DEL GALLO
All'alba

ABBRACCIARE UNA CAUSA
Aderire a una causa

ASCOLTARE L'ALTRA CAMPANA
Ascoltare anche il parere della parte avversa

ACCUSARE IL COLPO
Risentire di una situazione spiacevole

ACCONTENTARSI DI CIÒ CHE PASSA IL CONVENTO
Accontentarsi di ciò che viene offerto

A TEMPO DEBITO
Al momento opportuno

AFFOGARE NEI DEBITI
Avere molti debiti da pagare

A FUROR DI POPOLO
Con approvazione generale

A GAMBE LEVATE
Velocemente

AGUZZARE L'INGEGNO
Sforzare la mente

ASPETTARE L'IMBECCATA
Aspettare un suggerimento

A CHIARE LETTERE
Apertamente

A GRANDI LINEE
In modo sommario

ALLA LUCE DEL SOLE
Pubblicamente

A LUME DI NASO
A intuito

A MISURA D'UOMO
Adatto alle dimensioni umane

A DESTRA E A MANCA
Dappertutto, ovunque

A PORTATA DI MANO
Facilmente raggiungibile

A MONTE
All'origine

A OGNI MORTE DI PAPA
Molto raramente

A COLPO D'OCCHIO
A prima vista

A OCCHIO E CROCE
Più o meno

A QUATTR'OCCHI
Solo fra due persone

A PERDITA D'OCCHIO
Per una distesa molto vasta di territorio

A BUON RENDERE!
Quando si riceve qualcosa gratis

ALLARGARSI A MACCHIA D'OLIO
Espandersi rapidamente

A PREZZI STRACCIATI
A basso costo

A FUROR DI POPOLO
Con il consenso di tutti

A PROVA DI BOMBA
Inattaccabile, irreprensibile

A RUOTA LIBERA
Senza uno schema fisso

A TIRO
Vicino

ABBASSARE IL TIRO
Diminuire le pretese

ANDARE ALL'ALTARE
Sposarsi

ANDARE D'AMORE E D'ACCORDO
Essere in perfetta sintonia

ANDARCI DI MEZZO
Venire coinvolti

ANDARE SOTTO LE ARMI
Fare il servizio militare

ANDARE IN CAPO AL MONDO
Andare molto lontano

ANDARE VIA ALLA CHETICHELLA
Andarsene senza salutare nessuno

ANDARSENE CON LA CODA TRA LE GAMBE
Andarsene sconfitti e umiliati

ANDARE A COLPO SICURO
Fare qualcosa con la certezza di riuscire

ANDARE SOTTO I FERRI
Sottoporsi ad un intervento chirurgico

ANDARE AL FRESCO
Andare in prigione

ANDARE A GAMBE ALL'ARIA
Andare in rovina, in fallimento

ANDARE IN MALORA
Andare in rovina

ANDARE A MALE
Marcire, rovinarsi

ANDARCI DI MEZZO
Essere coinvolti

ANDARE A ROTOLI
Andare in rovina, fallire

ANDARE VIA COME IL PANE
Vendere qualcosa facilmente

ANDARE IN PORTO
Concludersi

ANDARE ALLO SBARAGLIO
Avventurarsi in un'impresa poco sicura

ANDARE SUL SICURO
Essere sicuri di non incontrare ostacoli

ANDARE ALLE STELLE
Salire molto, specialmente i prezzi

ANDARE A TAVOLETTA
Andare a tutta velocità

ANDARE SUL VELLUTO
Procedere senza difficoltà

ANDARE PER IL VERSO GIUSTO
Andare bene

ANDARE A ZONZO
Andare a spasso, passeggiare

ANCORA DI SALVEZZA
Ultima fonte di salvezza

– B –

il BACIO DI GIUDA
Ipocrita manifestazione d'amicizia prima o dopo un tradimento

BATTERE IN RITIRATA
Scappare, fuggire

BATTERE IL FERRO FINCHÉ È CALDO
Fare qualcosa quando il momento è favorevole

BATTERE LA FIACCA
Non avere voglia di fare niente

BERE COME UN CAMMELLO
Bere molto

BERSI IL CERVELLO
Impazzire

BESTEMMIARE COME UN TURCO
Bestemmiare spesso

la BESTIA NERA
Qualcuno o qualcosa di cui si ha paura

il BICCHIERE DELLA STAFFA
L'ultimo bicchiere, quello dell'addio

la BOCCA DELLA VERITÀ
Chi dice sempre la verità

BOTTE DA ORBI
Percosse date senza guardare dove si colpisce

BRANCOLARE NEL BUIO
Non riuscire a capire una determinata situazione

BRUTTO COME I SETTE PECCATI CAPITALI
Molto brutto, orrendo

BUTTARSI A PESCE
Gettarsi con entusiasmo su qualcosa

BUTTARSI QUALCOSA ALLE SPALLE
Volere dimenticare qualcosa, non pensarci più

BAGNO DI SANGUE
Strage

BATTERE I DENTI
Avere freddo o paura

BATTERE IL MARCIAPIEDI
Prostituirsi

BANCO DI PROVA
Esame

BATTERE CASSA
Chiedere soldi

BERE COME UNA SPUGNA
Bere molto e non certo acqua!

BOTTA E RISPOSTA
Scambio veloce di battute

BUTTARE ALL'ARIA
Mettere a soqquadro, rovinare tutto

BADARE AL SODO
Fare attenzione alla sostanza

BIANCO COME UNO STRACCIO
Impallidito

BUSSARE A SOLDI
Chiedere soldi

BUTTARSI A CORPO MORTO
Affrontare con decisione

BRUCIARE LE TAPPE
Operare in tempi molto rapidi

BATTERE SEMPRE SULLO STESSO TASTO
Insistere sullo stesso argomento

BUTTARE AL VENTO
Buttare via, sprecare

– C –

CACCIA ALLE STREGHE
Persecuzione mossa da pregiudizi, sospetti, fanatismo ideologico

CACCIARSI IN UN GINEPRAIO
Mettersi in una situazione complicata

CADERE DALLA PADELLA ALLA BRACE
Trovare un rimedio peggiore del male

CADERE DALLE NUVOLE
Essere sorpreso, meravigliarsi

CADERE IN PIEDI
Essere sconfitto, ma con dignità

CADERE NELLE BRACCIA DI MORFEO
Cadere in un sonno profondo

CALCARE LA MANO
Non essere indulgenti, ma accanirsi contro qualcuno

CAMBIARE REGISTRO
Cambiare modo di fare

CAMMINARE COME UNA LUMACA
Camminare o procedere lentamente

CAMMINARE COME UN GAMBERO
Regredire in una attività

CAMMINARE SUL FILO DEL RASOIO
Trovarsi in una situazione pericolosa

CAMPA CAVALLO! (CHE L'ERBA CRESCE)
È un invito a cercare di sopravvivere in attesa di momenti migliori, che però sono lontani

CAMPATO IN ARIA
Senza fondamento

CANTARE VITTORIA
Vantare di avere vinto o risolto una determinata situazione senza esserne sicuri

il CANTO DEL CIGNO
L'ultima opera pregevole di qualcuno le cui decisioni o azioni siano molto importanti

CAPIRE L'ANTIFONA
Capire un'intenzione nascosta o un avvertimento

CAPIRE FISCHI PER FIASCHI
Capire un'altra cosa

CARICARE LA DOSE
Accanirsi contro qualcuno

CARITÀ PELOSA
Atto di generosità che si fa per interesse

CARNEADE
Un illustre sconosciuto

CARNE DA MACELLO (O DA CANNONE)
Chi viene mandato a morire senza scrupolo alcuno

"CARPE DIEM" (latino)
Goditi in maniera felice la giornata che passa!; cogli l'attimo!

CAVALCARE LA TIGRE
Cercare di controllare una situazione pericolosa

CAVALCARE L'ONDA DEL SUCCESSO
Trovare il massimo profitto dal successo ottenuto in qualcosa

CAVALLO DI BATTAGLIA
Un'attività in cui uno si sente preparato, più sicuro tanto da esprimere il meglio di se stesso

CAVALLO DI RAZZA
Persona di grande qualità per un'attività particolare

CAVALLO DI TROIA
Regalo o dono che danneggia chi lo riceve; chi si introduce in maniera subdola in un determinato ambiente per provocare contrasti

CAVARSELA PER IL ROTTO CUFFIA
Uscire a situazioni poco chiare, che si cerca di nascondere

C'È MANCATO UN PELO!
C'è mancato poco!

CENA LUCULLIANA
Una cena raffinata e abbondante

C'ENTRA COME IL CAVOLO A MERENDA!
Non è attinente ad una determinata situazione

CERCARE IL PELO NELL'UOVO
Essere pignoli, meticolosi, puntigliosi

CERCARE ROGNA
Cercare guai

CERCARE UN AGO NEL PAGLIAIO
Cercare qualcosa di molto difficile da trovare

CHE COSA BOLLE IN PENTOLA?
Che cosa sta accadendo?

CHIAMARE IN CAUSA
Citare, riferirsi a qualcuno o a qualcosa

CHIEDERE LA MANO
Chiedere ai genitori di sposare la figlia

CHIUDERE LA STALLA DOPO CHE SONO SCAPPATI I BUOI
Cercare di rimediare quando ormai è troppo tardi

CHIUDERE UN OCCHIO
Essere indulgente

CHIUDERSI IN UNA TORRE D'AVORIO
Isolarsi dal mondo che è vicino a noi

"CICERO PRO DOMO SUA" (latino)
Frase riferita a coloro che parlano con molto calore solo in difesa dei propri interessi

CI VEDREMO A FILIPPI!
Una minaccia, a volte scherzosa, ad una persona con la quale si ha ancora aperta una questione

COGLIERE LA PALLA AL BALZO
Cogliere l'occasione al momento giusto

COGLIERE QUALCUNO CON LE MANI NEL SACCO
Sorprendere qualcuno nell'atto di fare qualcosa di poco lecito

COLPIRE NEL SEGNO
Centrare un obiettivo

COLPO DI FULMINE
Avvenimento improvviso ed inaspettato, ad esempio una notizia o un innamoramento a prima vista

COL SENNO DEL POI
Dopo aver ragionato o aver sperimentato

COLTIVARE IL PROPRIO ORTICELLO
Dedicarsi esclusivamente alle proprie occupazioni senza interessarsi degli altri

COMANDARE A BACCHETTA
Comandare in maniera autoritaria

COMBATTERE CONTRO I MULINI A VENTO
Combattere contro un nemico immaginario; avviare un'impresa inutile

COMBINARE DI COTTE E DI CRUDE (O DI TUTTI I COLORI)
Combinarne di ogni genere, darsi da fare in maniera esagerata

COME IL CACIO SUI MACCHERONI
A proposito, opportuno

CONCIARE PER LE FESTE
Ridurre qualcuno in un cattivo stato

CONOSCERE I PROPRI POLLI (O LE PROPRIE PECORE)
Sapere bene con chi si ha a che fare

CONSEGNARE "BREVI MANU" (latino)
Consegnare direttamente, personalmente

CONTARE LE PECORE
Suggerimento a chi non riesce ad addormentarsi

CORRERE LA CAVALLINA
Condurre una vita dedita ai divertimenti, ai piaceri, specialmente del sesso

CORTINA DI FERRO
Barriera di incomunicabilità tra persone causata da pregiudizi, ecc. …

COSA FATTA CAPO HA
Quando una decisione è stata presa bisogna metterla in pratica

COSTARE UN OCCHIO DELLA TESTA
Costare molto

COSTRUIRE SULLA SABBIA
Costruire qualcosa che dura poco

CREDERE CHE UN ASINO VOLI
Credere a cose impossibili

"CREPI (IL LUPO)!
Risposta data a chi augura «In bocca al lupo!»

"CUI PRODEST" (latino)
La domanda che ci si pone di fronte ad un fatto grave di cui si cerca di capire a chi giova

"CUM GRANO SALIS" (latino)
Con un po' di buon senso senza esagerare

CAMBIARE ARIA
Cambiare ambiente

CAPIRE L'ARIA CHE TIRA
Rendersi conto della situazione

CHIEDERE ASILO
Chiedere ospitalità

CADERE IN BASSO
Scendere notevolmente di livello

CAPIRE AL VOLO
Capire subito

CAMBIARE LE CARTE IN TAVOLA
Modificare una situazione a proprio vantaggio

CASA DI APPUNTAMENTO
Bordello

CASCASSE IL MONDO
Ad ogni costo

CIRCOLO VIZIOSO
Situazione senza via d'uscita

COGLIERE L'ATTIMO
Non lasciarsi sfuggire un'occasione

CONTARE COME IL DUE DI BRISCOLA
Non venire considerato, essere poco importante

COLPO DI SCENA
Fatto imprevisto che cambia una situazione

CUCIRSI LA BOCCA
Tacere, non parlare

CAMBIARE I CONNOTATI
Picchiare con violenza

CAMBIARE DISCO
Cambiare argomento

CADERE IN DISGRAZIA
Perdere il favore di qualcuno

COME DIO COMANDA
Come si deve

CONTARSI SULLE DITA DI UNA MANO
Essere in pochi

CRESCERE COME I FUNGHI
Moltiplicarsi

CHIEDERE LA LUNA
Avere eccessive pretese

CHIEDERE LUMI
Chiedere spiegazioni

CACCIARSI NELLA TANA DEL LUPO
Mettersi in una situazione pericolosa

CALCARE LE SCENE
Iniziare la carriera teatrale

CAVARE LE PAROLE DI BOCCA
Costringere a parlare, a rivelare qualcosa

CAVARSELA A BUON MERCATO
Uscire senza danni da una brutta situazione

CHIAMARE LE COSE COL LORO NOME
Parlare con grande sincerità

COGLIERE (PRENDERE) ALLA SPROVVISTA
Cogliere di sorpresa qualcuno

COMPRARE A SCATOLA CHIUSA
Non controllare cosa si compra

CORRERE AI RIPARI
Cercare un rimedio

COSE (ROBA) DELL'ALTRO MONDO
Cose incredibili

CAPITARE A TIRO
Arrivare al momento opportuno

CAPIRE AL VOLO
Capire subito

COMBINARLA GROSSA
Fare qualcosa di grave

CONOSCERE DI VISTA
Conoscere qualcuno senza averci mai parlato

CONOSCERE LA VITA, MORTE E MIRACOLI
Sapere tutto di qualcuno

– D –

DALL'A ALLA ZETA
Dal principio alla fine

DANNATA IPOTESI
Nell'ipotesi peggiore

DA PRENDERE CON LE MOLLE
Persona o cosa difficile da trattare

DARE ALLA LUCE
Partorire; creare qualcosa

DARE ALLA TESTA
Inebriare

DARE CORDA (O SPAGO)
Concedere libertà d'agire

DARE CORPO (OVITA) A QUALCOSA
Creare qualcosa

DARE DEL FILO DA TORCERE
Ostacolare con ogni mezzo; mettere in difficoltà qualcuno

DARE FORFAIT
Abbandonare un'impresa, una gara, ecc. ...

DARE IL COLPO DI GRAZIA
L'ultimo episodio che porta al crollo di una situazione già precaria

DARE I NUMERI
Vaneggiare, dire cose strane, sembrare impazzito

DARE IN PASTO AI CANI
Esporre al disprezzo pubblico

DARE LA PROPRIA PAROLA
Promettere giurare

DARE LE PERLE AI PORCI
Dare cose preziose a chi non è in grado di apprezzarle

DARE L'OSTRACISMO
Allontanare una persona malvista

DARE MAN FORTE
Aiutare, contribuire

DARE NELL'OCCHIO
Farsi notare

DARE SUI NERVI
Innervosire

DARE TEMPO AL TEMPO
Aspettare tempi migliori

DARE UNA MANO
Aiutare

DARE UN BIDONE
Dare una fregatura; non andare ad un appuntamento

DARE UN COLPO AL CERCHIO E UNO ALLA BOTTE
Barcamenarsi; dare ragione un po' all'uno e un po' al-l'altro

DARE UN COLPO DI SPUGNA
Cancellare, perdonare le colpe passate

DARLA A BERE
Dare a intendere qualcosa, far credere ciò che non è vero

DARLE DI SANTA RAGIONE
Picchiare violentemente

DARSELA A GAMBE
Fuggire, scappare

DARSI ALLA PAZZA GIOIA
Vivere in maniera spensierata

DARSI DELLE ARIE
Vantarsi

DARSI LA ZAPPA SUI PIEDI
Farsi del male da soli

DECIDERE SU DUE PIEDI
Decidere subito

"DE GUSTIBUS (NON EST DISPUTANDUM)
(latino)
Sui gusti non si discute

"DEO GRATIAS" (latino)
Esclamazione di sollievo per uno scampato pericolo o per la felice conclusione di una vicenda.

"DEUS EX MACHINA"
Persona capace di risolvere situazioni complicate o chi dirige la trama di un intrigo

DARSI DELLE ARIE
Vantarsi

"DIES IRAE" (latino)
Il momento della resa dei conti, della vendetta

DIETRO LE QUINTE
Nascosto, nell'ombra

DI MALE IN PEGGIO
Trovare un rimedio peggiore nel male

DI PUNTO IN BIANCO
All'improvviso

DIRE "INTER NOS" (latino)
Dire in confidenza, tra noi

DIRE PANE AL PANE E VINO AL VINO
Dire come stanno veramente le cose

DI RIFFA O DI RAFFA
In ogni modo, ad ogni costo

DI SANA PIANTA
Del tutto, totalmente

DISCUTERE SUL SESSO DEGLI ANGELI
Discutere di cose futili

DISSOTTERRARE L'ASCIA DI GUERRA
Aprire le ostilità

DI STRAFORO
Di nascosto, di sfuggita

DI TRE COTTE (O DI SETTE COTTE)
Molto furbo, astuto, incallito, incorreggibile, molto abile

"DIVIDE ET IMPERA" (latino)
Se si vuol comandare, bisogna mettere prima gli altri in discordia tra loro

DOCCIA SCOZZESE
Un alternarsi continuo di situazioni favorevoli e sfavorevoli

DORMIRCI SOPRA
Non pensarci

DORMIRE COME UN GHIRO
Dormire profondamente

DORMIRE TRA DUE GUANCIALI
Non avere preoccupazioni

"DO UT DES" (latino)
Dare qualcosa solo se si riceve qualcosa in cambio

"DURA LEX, SED LEX" (latino)
Anche se dura, la legge è legge

DA QUATTRO SOLDI
Di scarso valore

DARE ADDOSSO
Accanirsi

DANNARSI L'ANIMA
Faticare molto per raggiungere uno scopo

DARE IL BENSERVITO
Licenziare

DA CIMA A FONDO
Dall'inizio alla fine

DARE IN PASTO ALLE BELVE
Esporre alle critiche

DARE UN CALCIO ALLA FORTUNA
Non approfittare di una buona occasione

DARSI UNA CALMATA
Tranquillizzarsi

DARE DI VOLTA IL CERVELLO
Dire o fare cose senza senso

DARE CARTA BIANCA
Concedere piena facoltà di azione

DARE A CESARE CIÒ CHE È DI CESARE
Dare a ciascuno il dovuto

DARE COL CONTAGOCCE
Dare qualcosa un po' per volta

DARE IL CONTENTINO
Dare una piccola gratificazione per consolare di un danno provocato

DARE LA CROCE ADDOSSO
Incolpare

DARE A INTENDERE
Dare a credere, far credere

DARE DI VOLTA IL CERVELLO
Impazzire

DARLA VINTA
Cedere

DARE BUONI FRUTTI
Dare buoni risultati

DARE GLI OTTO GIORNI
Licenziare

DARE UNA BOCCATA DI OSSIGENO
Dare una tregua

DARE UNA LAVATA DI CAPO
Rimproverare

DARLA A INTENDERE
Ingannare

DARSI ALLA MACCHIA
Nascondersi

DA CHE MONDO È MONDO
Da sempre

DA MORIRE
Molto

DARSI UNA MOSSA
Sbrigarsi

DARE SCACCO MATTO
Infliggere una sconfitta

DARE LA PAROLA D'ONORE
Impegnarsi a fare qualcosa

DARE DEI PUNTI A QUALCUNO
Essere superiori a qualcuno

DARE SPAGO
Incoraggiare

DARE UNA STANGATA
Imporre qualcosa di molto pesante

DARE DI STOMACO
Vomitare

DARCI UN TAGLIO
Troncare, smettere di fare qualcosa

DARE UNA SVOLTA
Cambiare in modo radicale

DARE VIA LIBERA
Non opporre impedimenti

DARSI ALLA BELLA VITA
Vivere in maniera spensierata e felice

DARE UN GIRO DI VITE
Fare delle limitazioni

DARE ADITO
Offrire l'opportunità

DAL VIVO
In diretta

DORMIRE COME UN ANGIOLETTO
Dormire sonni tranquilli

DORMIRE SUGLI ALLORI
Accontentarsi dei successi passati

DI BUZZO BUONO
Con impegno e decisione

DIGERIRE ANCHE I CHIODI
Digerire tutto

DIRNE DI TUTTI I COLORI
Parlare male di qualcuno

DIVENTARE DI TUTTI I COLORI
Vergognarsi

DENARO SPORCO
Denaro proveniente da traffici illeciti

DIFENDERE CON I DENTI
Difendere con fermezza

DIRE IL FATTO SUO
Dire ciò che si pensa veramente

DIRE FUORI DAI DENTI
Parlare senza giri di parole

DIRNE QUATTRO
Rimproverare

DIRNE DI TUTTI I COLORI
Ingiuriare

DI PRIMA MANO
Nuovo

DI SECONDA MANO
Già usato

DETTARE LEGGE
Imporre la propria volontà

DI GETTO
D'impulso

DIGERIRE ANCHE I SASSI
Digerire tutto

DIFENDERE A SPADA TRATTA
Difendere senza esitazione e con decisione

DIRE IN PAROLE POVERE
Dire semplicemente

DRIZZARE LE ORECCHIE
Cercare di ascoltare

DIFENDERE CON LE UNGHIE E CON I DENTI
Difendere con tutte le forze

DORMIRE ALL'ADDIACCIO
Dormire all'aperto

– E –

EMINENZA GRIGIA
Consigliere segreto e potente

ENTRARE DA UN ORECCHIO E USCIRE DALL'ALTRO
Ciò che non viene impresso e che viene subito dimenticato

ENTRARE IN LIZZA
Partecipare

l'ERBA DEL VICINO è SEMPRE Più VERDE
Quando si soffre d'invidia non si è mai contenti della propria situazione

l'ERBA VOGLIO
Una cosa chiesta con insistenza

"ERRARE HUMANUM EST" (latino)
Sbagliare è umano

ESSERE A CAVALLO
Aver superato gran parte delle difficoltà; trovarsi in una situazione favorevole

ESSERE ACCECATO DALL'IRA
Essere furibondo

ESSERE AI FERRI CORTI
Non essere in buoni rapporti

ESSERE AL DENTE
Cotto al punto giusto

ESSERE ALLA FRUTTA
Essere alla conclusione, alla fine delle risorse economiche

ESSERE ALL'ALTEZZA
Saper affrontare una situazione; essere in grado di fare qualcosa

ESSERE ALLA MANO
Essere dei tipi semplici

ESSERE ALLE PRIME ARMI
Avere poca esperienza

ESSERE AL LUMICINO
Essere alla fine delle forze, ecc. ...

ESSERE AL SETTIMO CIELO
Essere molto felici

ESSERE AL VERDE
Non avere un soldo; avere perso tutto

ESSERE AMICI PER LA PELLE
Essere molto amici

ESSERE AMICO DEL GIAGUARO
Tenere le parti dell'avversario

ESSERE AMLETICO
Essere incerto, indeciso

ESSERE A STECCHETTO
Essere con poco denaro o a dieta stretta

ESSERE BAGNATO FRADICIO
Essere tutto bagnato

ESSERE BELLO DA MORIRE
Essere molto bello

ESSERE COME IL DIAVOLO E L'ACQUA SANTA
Essere sempre in contrasto, non andare mai d'accordo

ESSERE COME IL GATTO E LA VOLPE
Essere due persone poco raccomandabili

ESSERE COME IL PESCE CHE DOPO TRE GIORNI PUZZA
Abusare dell'ospitalità

ESSERE COME IL PREZZEMOLO
Essere ovunque

ESSERE COME SAN TOMMASO
Non credere fino a quando non si hanno prove certe

ESSERE COME UN PESCE FUOR D'ACQUA
Sentirsi a disagio in un certo ambiente

ESSERE CON IL MORALE A TERRA
Essere demoralizzato

ESSERE CON L'ACQUA ALLA GOLA
Essere in gravi difficoltà

ESSERE CON LE SPALLE AL MURO
Non avere alternative

ESSERE CONTENTO COME UNA PASQUA
Essere molto contento

ESSERE DI DOMINIO PUBBLICO
Essere conosciuto da tutti

ESSERE DI MANICA LARGA
Essere molto indulgente, generoso

ESSERE DI POCHE PAROLE
Parlare poco

ESSERE DI PRIMO PELO
Essere molto giovani

ESSERE FUORI FASE
Essere in una condizione tale da non riuscire a svolgere le normali attività

ESSERE FUORI LUOGO
Non essere attinente ad una determinata situazione

ESSERE GASATO
Essere euforico, eccitato

ESSERE GIÙ DI CORDA
Essere giù di morale

ESSERE IL BENIAMINO
Essere il preferito di qualcuno

ESSERE IL CAPRO ESPIATORIO
Essere la persona su cui ricadono le colpe degli altri e che paga per tutti

ESSERE IL CASTIGAMATTI
Essere la persona in grado di domare anche gli individui più ribelli

ESSERE IL GALLO DELLA CHECCA
Essere molto ammirato dalle donne

ESSERE IL "NON PLUS ULTRA" (latino)
Essere il livello massimo a cui si può giungere

ESSERE IL PADRONE DEL VAPORE
Avere il potere, comandare

ESSERE IL POMO DELLA DISCORDIA
Essere chi causa disaccordo tra le persone

ESSERE IL PORTAVOCE
Esporre e rendere noto il pensiero altrui parlando in sua vece

ESSERE IL POZZO DI SAN PATRIZIO
Essere una persona o una cosa che non ne ha mai a sufficienza

ESSERE IL TIRAPIEDI
Chi, per servilismo o per interesse, asseconda le iniziative di una persona

ESSERE IN
Essere alla moda; essere al passo coi tempi

ESSERE IN AREA DI PARCHEGGIO
Non avere lavoro, essere disoccupati

ESSERE IN AUGE
Essere di gran moda, di grande attualità

ESSERE IN BOLLETTA
Non avere un soldo

ESSERE IN DIRITTURA D'ARRIVO
Stare per arrivare

ESSERE IN FORMA
Essere in perfetto stato fisico e/o mentale

ESSERE IN GAMBA
Essere una persona di valore

ESSERE INNAMORATO COTTO
Essere molto innamorato

ESSERE IN ODORE DI...
Essere sospettato di...

ESSERE IN PANNE
Essere in difficoltà

ESSERE IN POLE POSITION
Partire in prima fila, in posizione avvantaggiata

ESSERE IN RISERVA
Avere esaurito le energie o il carburante, se trattasi di automobile

ESSERE IN RODAGGIO
Essere in prova, essere nella fase iniziale

ESSERE IN STATO INTERESSANTE
Essere incinta

ESSERE IN UNA BABILONIA
Trovarsi in una confusione

ESSERE IN UNA BOTTE DI FERRO
Sentirsi sicuri

ESSERE IN VENA
Avere voglia di fare qualcosa

ESSERE LA CENERENTOLA
Essere ingiustamente trascurata

ESSERE LA PIETRA DELLO SCANDALO
Dare il cattivo esempio

ESSERE LA PRIMULA ROSSA
Una persona che non si riesce mai a trovare

ESSERE LA QUINTESSENZA
Essere il modello, il prototipo, l'esempio purissimo

ESSERE L'ARABA FENICE
Essere una persona o una cosa quasi impossibile da trovare, più unica che rara

ESSERE L'AVVOCATO DELLE CAUSE PERSE
Difendere tesi perdenti

ESSERE LO ZIMBELLO
Essere oggetto di scherzi e di derisione

ESSERE L'ULTIMA RUOTA DEL CARRO
Non essere considerati

ESSERE MUTO COME UN PESCE
Non parlare assolutamente; tacere con ostinazione

ESSERE NATI CON LA CAMICIA
Essere molto fortunati

ESSERE NEL FIORE DEGLI ANNI
Essere nell'età della giovinezza

ESSERE NELLA FOSSA DEI LEONI
Trovarsi in una situazione pericolosa

ESSERE NELL'OCCHIO DEL CICLONE
Essere al centro di una situazione sfavorevole; in mezzo ad una metaforica tempesta

ESSERE NEL MIRINO
Essere l'obiettivo di qualcuno

ESSERE OUT
Essere fuori moda, non stare al passo coi tempi

ESSERE PORTATI PER QUALCOSA
Avere le qualità necessarie per fare qualcosa

ESSERE PURO COME UN GIGLIO
Essere innocente, immacolato

ESSERE RICCO SFONDATO
Essere molto ricco

ESSERE ROSSO COME UN GAMBERO (o come un peperone)
Essere rosso in volto per la timidezza o per la vergogna

ESSERE SANO COME UN PESCE
Non avere nessun disturbo fisico

ESSERE SORDO COME UNA CAMPANA
Essere del tutto sordo

ESSERE SU DI GIRI
Essere euforico, eccitato

ESSERE "SUI GENERIS" (latino)
Essere tutto particolare

ESSERE SULLA BOCCA DI TUTTI
Essere oggetto delle chiacchiere altrui

ESSERE SULLA CRESTA DELL'ONDA
Essere all'apice del successo

ESSERE SULLA VIA DI DAMASCO
Essere vicino al pentimento o alla conversione

ESSERE SUL PUNTO DI FARE QUALCOSA
Stare per fare qualcosa

ESSERE SUL VIALE DEL TRAMONTO
Essere in declino

ESSERE SUONATO COME UNA CAMPANA
Essere un po' stupido

ESSERE TRA COLORO CHE SONO SOSPESI
Trovarsi in una situazione incerta

ESSERE TRA DUE FUOCHI
Essere di fronte ad una alternativa scomoda

ESSERE TUTTO CASA E CHIESA
Essere una persona che non svolge nessun tipo di vita mondana

ESSERE TUTTO D'UN PEZZO
Essere sempre fedeli ai propri principi, non cedere mai a compromessi

ESSERE UBRIACO FRADICIO
Essere molto ubriaco

ESSERE UCCCEL DI BOSCO
Essere latitante, irreperibile; una persona che non si trova

ESSERE UNA BANDERUOLA
Cambiare facilmente idea, opinione, partito, ecc. ...

ESSERE UNA CASSANDRA
Prevedere, senza però essere creduti, guai e sciagure

ESSERE UNA CHIMERA
Essere un'utopia

ESSERE UNA CIRCE
Essere una seduttrice, un'ammaliatrice

ESSERE UN'ACQUA CHETA
Essere remissivi solo in apparenza

ESSERE UN ADONE
Essere bello e affascinante

ESSERE UNA FURIA
Essere preso da un'eccessiva smania, dalla frenesia, ecc. ...

ESSERE UNA GATTA MORTA
Essere remissivi solo in apparenza

ESSERE UN ALTRO PAIO DI MANICHE
Essere un'altra cosa, del tutto diversa

ESSERE UNA MANNA
Ottenere un risultato favorevole e inaspettato

ESSERE UNA MEGERA
Essere una donna brutta e vecchia

ESSERE UNA MELA MARCIA
Essere una persona negativa in riferimento ad un determinato contesto

ESSERE UNA MUMMIA
Non parlare; più in generale si riferisce a una persona di mentalità sorpassata o incapace di prendere iniziative

ESSERE UNA ODISSEA
Essere una serie di esperienze infelici o di situazioni negative

ESSERE UNA PALLA AL PIEDE
Essere un peso che rallenta o che impedisce di fare qualcosa

ESSERE UNA PANACEA
Essere un rimedio adatto a risolvere ogni problema, a guarire tutti i mali

ESSERE UNA PECORA NERA
Essere una persona malvista; chi si distingue per doti negative

ESSERE UN PEZZO DI PANE
Essere molto buoni

ESSERE UNA QUESTIONE DI VITA O DI MORTE
Essere una questione di massima importanza

ESSERE UN'ARMA A DOPPIO TAGLIO
Essere qualcosa che può avere, allo stesso tempo, degli effetti positivi e negativi

ESSERE UN ARPAGONE
Essere avaro

ESSERE UN'ARPÌA
Essere una donna avara o di aspetto sgradevole e con un brutto carattere

ESSERE UNA SFINGE
Essere una persona enigmatica

ESSERE UNA SIBERIA
Fare molto freddo

ESSERE UNA SIBILLA
Essere una persona che prevede il futuro

ESSERE UNA SIRENA
Essere una donna ammaliatrice

ESSERE UN ASSO
Essere un gran campione, il migliore

ESSERE UNA TOMBA
Non parlare assolutamente; essere una persona capace di mantenere un segreto

ESSERE UNA TROTTOLA
Essere una persona molto indaffarata, che non si ferma mai

ESSERE UN' "AURA MEDIOCRITAS" (latino)
Non riuscire ad emergere

ESSERE UNA VENERE
Essere una donna molta bella

ESSERE UNA VOLPE
Essere una persona molta furba

ESSERE UNA AZZECCAGARBUGLI
Essere incapace o avvocato imbroglione

ESSERE UN BUON PARTITO
Essere una persona ideale, ricca, da sposare

ESSERE UN CALVARIO
Essere in un luogo di sofferenza

ESSERE UN CERBERO
Essere una persona intrattabile

ESSERE UN COLOSSO DAI PIEDI D'ARGILLA
Dimostrare di essere molto forti, ma non avere basi solide

ESSERE UN DONCHISCIOTTE
Battersi per nobili ideali, ma fuori del tempo; affrontare le situazioni difficili con poche speranze di successo

ESSERE UN DONGIOVANNI
Atteggiarsi a play boy; essere un donnaiolo

ESSERE UN GANIMEDE
Essere un bellImbusto, un gagà

ESSERE UN GIUDA
Essere un traditore

ESSERE UN GRADASSO
Essere uno sbruffone, uno spaccone

ESSERE UN LABIRINTO
Essere un intreccio di vie, una situazione complicata

ESSERE UN LIBRO APERTO
Fare trasparire ogni emozione e pensiero

ESSERE UN MATUSALEMME (O MATUSA)
Essere considerato una persona superata, vecchia

ESSERE UN PARIA
Essere un emarginato, un derelitto

ESSERE UN PESCE FUOR D'ACQUA
Non essere nel proprio ambiente naturale; sentirsi a disagio

ESSERE UN PIGMALIONE
Affinare le facoltà intellettuali e il comportamento di una persona

ESSERE UNA PULCINELLA
Essere una persona che cambia facilmente idea o ideale

ESSERE UN VOLTAGABBANA
Essere una persona che cambia facilmente ideale, partito, ecc...

ESSERE UN VULCANO
Avere la mente sempre in fermento con entusiasmo e immaginazione

ESSERE VANGELO
Essere una verità indiscutibile

E COMPAGNIA BELLA
E via dicendo, eccetera

ESSERE AGLI ANTIPODI
Essere di idee diametralmente opposte

ESSERE NELL'ARIA
Essere imminente

ESSERE ALL'AVANGUARDIA
Anticipare i tempi

ENTRARE IN BALLO
Partecipare attivamente

ESSERE NELLA STESSA BARCA
Essere nella stessa situazione

ESSERE DI BOCCA BUONA
Accontentarci di poco

ESSERE UNA BRUTTA BESTIA
Essere un problema difficile da risolvere

ESSERE UNA BOMBA
Essere qualcosa di eccezionale

ESSERE UNA BUONA FORCHETTA
Essere un gran mangiatore

ESSERE ANCORA SULLA BRECCIA
Essere ancora attivo

ESSERE BUONO COME IL PANE
Essere molto buono

ESSERE UNA BUFALA
Essere una notizia falsa

ESSERE UN BUONO A NULLA
Essere un incapace

ESSERE UNA MEZZA CALZETTA
Essere una persona di qualità modesta

ESSERE UNA CANNONATA
Essere eccezionale

ESSERE UN CARNEADE
Essere uno sconosciuto

ESSERE CASA E CHIESA
Essere una persona perbene

ESSERE DI CASA
Essere amico di famiglia

ESSERE UN CONIGLIO
Essere paurosi

ESSERCI DENTRO FINO AL COLLO
Essere coinvolti totalmente in qualcosa

ESSERE DURO DI COMPRENDONIO
Essere lento nel capire

ESSERE DURO D'ORECCHI
Fingere di non sentire

ESSERE UN DURO
Essere una persona decisa

ESSERE UN FARFALLONE
Essere un uomo volubile con le donne

ESSERE FERRATO IN QUALCOSA
Essere preparato in qualcosa

ESSERE LA FINE DEL MONDO
Essere straordinario

ESSERE IL FIOR FIORE
Essere la parte migliore

ESSERE IN GIOCO
Essere coinvolti

ESSERE COME DUE GOCCE D'ACQUA
Essere identici

ESSERE (in) QUATTRO GATTI
Essere in pochi

ESSERE UN GIOCO DA RAGAZZI
Essere molto facile a realizzarsi

ESSERE UNA FRANA
Essere un incapace

ESSERE ALL'OSCURO DI QUALCOSA
Non saperne niente

ESSERE IN BUONE MANI
Essere affidati a persone di fiducia

ESSERE LEGATO MANI E PIEDI
Non avere alcuna possibilità di agire

ESSERE UNA MINA VAGANTE
Rappresentare un pericolo

È UNA PAROLA!
È facile a dirsi ma non a farsi!

ESSERE DI PAROLA
Mantenere le promesse

ESSERE DELLA PARTITA
Aderire ad una iniziativa

ESSERE NEL PALLONE
Essere confusi

ESSERE TUTT'ORECCHI
Ascoltare con molta attenzione

ESSERE DI PARTE
Non essere obiettivi

ESSERE IN PAROLA
Essere in trattative

ESSERE DELLA PARTITA
Dare la propria adesione ad una iniziativa

ESSERE DI PESO
Essere un fastidio

ESSERE UN PESO MORTO
Essere di nessuna utilità per gli altri

ESSERE ALLE PORTE
Essere imminente

ESSERE ALLE PRESE CON QUALCOSA
Essere occupati con qualcosa

ESSERE UN POZZO DI SCIENZA
Essere una persona molto istruita

ESSERE UN POZZO SENZA FONDO
Essere inesauribile

ESSERE QUALCUNO
Essere una persona importante

ESSERCI UN QUIPROQUO
Esserci un malinteso

ESSERE IN ROTTA
Troncare i rapporti amichevoli

ESSERE ALLO SBANDO
Trovarsi in una situazione confusa e senza via d'uscita

ESSERE AGLI SGOCCIOLI
Essere quasi alla fine

ESSERE ALL'ULTIMA SPIAGGIA
Essere l'ultima via di salvezza

ESSERE UNA SPINA NEL FIANCO
Essere un tormento continuo

ESSERE TAGLIATO PER QUALCOSA
Essere predisposti a qualcosa

ESSERE DELLO STESSO STAMPO
Essere molto simili

ESSERE DELLA STESSA STOFFA
Essere simili

ESSERE FUORI STRADA
Essere in errore

ESSERE RIDOTTO COME UNO STRACCIO
Essere ridotto male

ESSERE SULLA BUONA STRADA
Essere in grado di raggiungere un obiettivo

ESSERE UNA TALPA
Essere un infiltrato

ESSERE A TERRA
Essere depressi moralmente o fisicamente

ESSERE FUORI DI TESTA
Essere confusi mentalmente

ESSERE TERRA A TERRA
Essere banali

ESSERE UNA TESTA CALDA
Essere una persona molto passionale

ESSERE DI LARGHE VEDUTE
Essere tolleranti e molto aperti mentalmente

ESSERE AL VETRIOLO
Essere pungenti e taglienti nei discorsi

ESSERE IN VISTA
Essere persone molto conosciute

ENTRARE NEL VIVO
Affrontare il nocciolo di una questione

ESSERE IN VOGA
Essere di moda

ESSERE VIVO E VEGETO
Essere in buona salute

– F –

FARCI LA BIRRA
Non fare nulla di una cosa

FARCI UNA CROCE SOPRA
Considerare un argomento finito o una situazione conclusa

FARE ACQUA DA TUTTE LE PARTI
Una situazione o un progetto molto lacunoso

FARE ALLA ROMANA
Dividere il conto in parti uguali, ad esempio al ristorante

FARE A OCCHIO
Agire in modo approssimato

FARE A SCARICABARILE
Non assumersi le proprie responsabilità, ma addossarle ad altri

FARE BANCAROTTA
Fallire

FARE BRECCIA
Penetrare

FARE CADERE LE BRACCIA
Deludere o stancare fino a non poterne più

FARE CALMARE LE ACQUE
Aspettare tempi migliori

FARE CAPPOTTO
Vincere in maniera netta ed inequivocabile

FARE CARTE FALSE
Fare possibile per raggiungere un determinato scopo

FARE CASTELLI IN ARIA
Fantasticare; fare progetti che non si realizzeranno mai

FARE CILECCA
Non riuscire a fare qualcosa

FARE COME LA VOLPE CON L'UVA
Fare finta di disprezzare ciò che non si può avere

FARE COME LO STRUZZO
Fare finta di non vedere

FARE DA CAVIA
Essere la persona sulla quale si compiono degli esperimenti

FARE DA SPALLA A QUALCUNO
Aiutare, fare da supporto a qualcuno

FARE DA SPECCHIO PER LE ALLODOLE
Essere usati per attirare l'attenzione di qualcuno

FARE DI OGNI ERBA IN FASCIO
Mettere insieme, facendo confusione, cose, concetti o persone, diversi tra loro, senza distinzione alcuna

FARE DI TESTA PROPRIA
Decidere da soli ciò che si vuole fare

FARE DUE PASSI
Passeggiare

FARE FIASCO
Non avere successo

FARE FUOCO E FIAMME
Arrabbiarsi molto, dare in escandescenze

FARE GIRARE LA TESTA
Confondere, affascinare

FARE GIRARE LE SCATOLE
Fare innervosire, stufare

FARE I CONTI CON QUALCUNO
Regolare una situazione con qualcuno

FARE I CONTI SENZA L'OSTE
Fare i progetti senza considerare gli imprevisti; prendere delle decisioni senza considerare chi ne rimarrà coinvolto

FARE IL BASTIAN CONTRARIO
Fare o dire il contrario di quello che fanno o dicono gli altri solo per atteggiamento di contraddizione

FARE IL CALLO A QUALCOSA
Abituarsi a qualcosa

FARE IL CAMALEONTE
Cambiare idea spesso e volentieri

FARE IL CONTROPELO
Sottoporre ad indagini e controlli approfonditi

FARE IL CRUMIRO
Chi non aderisce ad uno sciopero e chi, pur non partecipando al lavoro di gruppo, ne vorrebbe però godere i vantaggi

FARE IL DIAVOLO A QUATTRO
Fare un gran rumore, protestare violentemente

FARE IL FINTO TONTO
Fare finta di non capire

FARE IL GIRO DELL'ORTO
Ritornare sempre al punto di partenza

FARE IL LAVAGGIO DEL CERVELLO
Cercare di convincere con insistenza qualcuno

FARE IL PALO
Stare a guardare

FARE IL PAPPAGALLO
Cercare, ad esempio per strada, di conoscere una ragazza

FARE IL PASSO Più LUNGO DELLA GAMBA
Fare qualcosa al di fuori delle nostre possibilità

FARE IL PESCE IN BARILE
Fare finta di non accorgersi di nulla

FARE IL PIENO
Prendere la quantità massima di qualcosa

FARE IL PORCO
Tentare di compiere atti lussuriosi con le donne

FARE IL PORTOGHESE
Riuscire ad entrare in un luogo pubblico senza pagare il biglietto

FARE IL PUNTO DELLA SITUAZIONE
Verificare una certa situazione

FARE I SALTI DI GIOIA
Essere molto felici

FARE I SALTI MORTALI
Fare il possibile per ottenere qualcosa

FARE LA BERTA
Schernire, deridere; tirare fuori la lingua in segno di disprezzo

FARE LA CIVETTA
Attirare l'attenzione degli uomini

FARE LA DOLCE VITA
Vivere divertendosi

FARE LA FESTA A QUALCUNO
Uccidere qualcuno

FARE LA GATTAMORTA
Fingere di essere ingenua, di non accorgersi di nulla per propri scopi

FARE LA GAVETTA
Fare esperienza

FARE LA SANGUISUGA
Estorcere denaro con ogni mezzo

FARE LA SPOLA
Andare avanti e indietro da un posto all'altro

FARE LA VOCE GROSSA
Cercare di imporre la propria volontà

FARE L'AVVOCATO DEL DIAVOLO
Sostenere opinioni in contrasto con quelle degli altri allo scopo di dimostrarne l'inconsistenza

FARE LE COSE ALLA CARLONA
Fare le cose senza precisione

FARE LE FUSA
Rendersi affettuosi

FARE LE NOZZE COI FICHI SECCHI
Fare le cose con mezzi inadeguati; volere fare qualcosa senza averne i mezzi

FARE LE ORECCHIE DA MERCANTE
Fare finta di non avere sentito o capito

FARE LE ORE PICCOLE
Andare a letto molto tardi

FARE LE PARTI DEL LEONE
Prendersi quasi tutto

FARE LE SCARPE A QUALCUNO
Imbrogliare qualcuno

FARE L'INDIANO
Fingere di non capire

FARE L'OCA GIULIVA
Fare la stupida

FARE LO GNORRI
Fare finta di sentire solo quello che fa comodo

FARE LO SCIACALLO
Saccheggiare fra le rovine di un terremoto per impadronirsi di qualcosa

FARE L'UCCELLO DEL MALAGURIO
Annunciare sempre delle disgrazie o cattive notizie

FARE MAN BASSA
Portare via tutto

FARE PASSI FALSI
Essere imprudente; commettere degli errori

FARE PIAZZA PULITA
Portare via tutto

FARE PONTI D'ORO
Fare il possibile per convincere qualcuno

FARE PRESSING
Pressare l'avversario

FARE PRO FORMA
Fare qualcosa per pura formalità

FARE PROMESSE DA MARINAIO
Non mantenere le promesse

FARE QUALCOSA CON I PIEDI
Fare qualcosa male, senza impegno

FARE QUATTRO SALTI
Ballare

FARE SALTARE LA MOSCA AL NASO
Far arrabbiare

FARE SPALLUCCE
Stringere le spalle in segno d'indifferenza

FARE STRADA NELLA VITA
Avere successo

FARE "TABULA RASA" (latino)
Buttare via tutto, far scomparire tutto

FARE TREDICI
Avere un grosso colpo di fortuna

FARE UNA FILIPPICA
Lanciare un'invettiva contro qualcuno

FARE UNA MARATONA
Fare un lavoro estenuante e senza sosta

FARE UNA SVIOLINATA
Adulare, lusingare

FARE UNA VITA DA CANI
Fare una vita piena di sacrifici

FARE UN BUCO NELL'ACQUA
Fallire in qualcosa; non riuscire a fare qualcosa

FARE UN BRUTTO TIRO
Fare un'azione cattiva

FARE UN CANCAN
Fare uno scandalo, un putiferio

FARE UN DISTINGUO
Fare una distinzione

FARE UN "EXCURSUS"
Fare una digressione

FARE UNO SCHERZO DA PRETE
Fare uno scherzo inaspettato, di cattivo gusto

FARE UN PANDEMONIO
Fare una gran confusione, protestare violentemente

FARE UN PESCE D'APRILE
Fare uno scherzo il giorno del 1 aprile

FARE UN QUARANTOTTO
Fare una gran confusione, provocare violente discussioni

FARE UN SALTO NEL BUIO
Fare qualcosa senza conoscere le conseguenze

FARE UN TIRO BIRBONE
Imbrogliare qualcuno

FARE UN TIRO MANCINO
Fare un brutto scherzo, una brutta azione

FARE VEDERE I SORCI VERDI
Fare del male, anche fisico, a qualcuno

FARNE PIÙ DI CARLO IN FRANCIA
Darsi da fare in maniera esagerata

FARSELA SOTTO (O ADDOSSO)
Provare molta paura

FARSI IN QUATTRO
Fare tutto il possibile

FARSI LE OSSA
Fare esperienza

FARSI PRENDERE LA MANO
Lasciarsi coinvolgere da una situazione

le FATICHE DI ERCOLE
Imprese molto impegnative e difficili

FIGLIUOL PRODIGO
Colui che si pente di ciò che ha fatto e ritorna sulle sue decisioni

FILARSELA ALL'INGLESE
Andarsene senza salutare nessuno

il FINE GIUSTIFICA I MEZZI
Pur di raggiungere un determinato scopo, ogni mezzo è lecito

FINIRE IN MEZZO A UNA STRADA
Finire in miseria

FINIRE IN UNA BOLLA DI SAPONE
Svanire

FISCHIARE LE ORECCHIE
Avere l'impressione che qualcuno stia parlando di noi in quel momento e probabilmente non bene

FONDI NERI
Somme di denaro pubblico date ai politici, in genere per fine di corruzione

FORCHE CAUDINE
Grave umiliazione, situazione umiliante

la FORTUNA È CIECA
La fortuna non guarda in faccia nessuno

FORZARE LA MANO
Fare troppo pressione nei confronti di qualcuno

FRANCO TIRATORE
Il parlamentare che, nel segreto dell'urna, vota contro i suoi compagni di partito

FULMINARE CON LO SGUARDO
Guardare con odio qualcuno

FULMINE A CIEL SERENO
Qualcosa di improvviso

FUMARE COME UN TURCO
Fumare molto

FARE CADERE DALL'ALTO
Fare pesare ciò che si concede

FARE UN'ALZATACCIA
Alzarsi molto presto

FARE PER AMORE O PER FORZA
Fare qualcosa ad ogni costo

FARSI ANIMO
Farsi coraggio

FARE ANTICAMERA
Dover aspettare prima di essere ricevuti

FARSI AVANTI
Prendere iniziative

FARE UNA FIGURA BARBINA
Fare una brutta figura e una cattiva impressione

FATTO AD ARTE
Fatto per uno scopo preciso

FATTO A REGOLA D'ARTE
Fatto in modo perfetto

FARE LE BIZZE
Fare i capricci

FARCI LA BOCCA
Abituarsi

FARLA BREVE
Arrivare subito alla conclusione

FINIRE IN BELLEZZA
Terminar un'attività in maniera brillante

FARCI IL CALLO
Prenderci l'abitudine

FARE UNA CAPATINA
Fare una breve visita

FARE CAPOLINO
Affacciarsi per un attimo

FAR VENIRE I CAPELLI BIANCHI
Dare molte preoccupazioni

FIRMARE UNA CAMBIALE IN BIANCO
Esporsi a dei rischi

FARLA PAGARE CARA
Vendicarsi

FARE IL CASCAMORTO CON LE DONNE
Corteggiare troppo le donne

FARE CAUSA COMUNE
Allearsi contro il comune nemico

FARE CENTRO
Arrivare allo scopo prefisso

FARE IL CHILO
Riposare dopo il pranzo

FARE COLPO
Attirare l'attenzione in modo positivo

FARE UN COLPO GOBBO
Riuscire in un'impresa

FARNE DI TUTTI I COLORI
Combinare molti guai

FARE DA CONTRALTARE
Fare da alternativa

FARE UN BEL GESTO
Fare una buona azione

FARE IL TERZO GRADO
Fare un interrogatorio senza pause

FARE IL DOPPIO GIOCO
Avere un comportamento ambiguo

FARE INCETTA
Accaparrare

FARE DA TERZO INCOMODO
Essere di troppo

FARE MARCIA INDIETRO
Cambiare idea

FARLA GROSSA
Fare un grosso errore

FARE IN UN LAMPO
Fare con molta rapidità

FARE LA PARTE DEL LEONE
Prevalere con la prepotenza

FARE LUCE SU QUALCOSA
Scoprire qualcosa

FARCI LA MANO
Abituarsi

FARE LA MANO MORTA
Palpeggiare di nascosto

FARE A MENO
Rinunciare

FARE EFFETTO
Impressionare

FARCELA PER UN PELO
Riuscire in qualcosa solo alla fine

FARE FOLLIE
Fare qualsiasi cosa

FARLA FRANCA
Salvarsi da una situazione spiacevole

FARE LA FAME
Vivere in povertà

FARE UNA BELLA FIGURA
Fare una buona impressione

FARLA BREVE
Essere concisi

FARLA FINITA
Uccidersi o troncare una relazione

FARSI VIVO
Farsi sentire o vedere dopo molto tempo

FARE FURORE
Riscuotere molto successo

FARE COME I GAMBERI
Regredire

FERRI DEL MESTIERE
Strumenti necessari per un'attività

FILARE LISCIO
Senza problemi

FUORI FORMA
Non sentirsi in perfetto stato fisico

FARE UN INCIUCIO
Complottare

FARE LUNGA
Prolungare troppo un discorso

FARE MENTE LOCALE
Concentrarsi su un argomento specifico

FARE ORECCHIE DA MERCANTE
Fingere di non sentire

FARE MIRACOLI
Riuscire a fare cose quasi impossibili

FARE UNA MOSSA FALSA
Fare qualcosa di sbagliato

FARE UN MURO
Coalizzarsi

FORZARE LA MANO
Costringere ad agire contro la volontà

FARSI UN NOME
Diventare famoso

FARE NUMERO
Contare solo in quanto si è presenti

FARE L'OCCHIOLINO
Fare un cenno d'intesa con l'occhio

FARE GLI ONORI DI CASA
Accogliere gli ospiti

FARE PASSI DA GIGANTE
Fare grossi progressi

FARE UN PASSO FALSO
Prendere una iniziativa sbagliata

FARE CON I PIEDI
Fare qualcosa male

FARE LA PELLE
Uccidere

FIDARSI A OCCHI CHIUSI
Avere completa fiducia

FARE RIDERE I POLLI
Dire o fare cose senza importanza

FINIRE NEL NULLA
Non concludersi

FARE LA POSTA
Sorvegliare

FARE PRESA
Suscitare interesse

FARE PRESSIONE
Insistere per ottenere qualcosa

FARE IL PREZIOSO
Farsi desiderare

FARE LE COSE A PUNTINO
Fare le cose con precisione

FARE QUADRATO
Restare uniti per una comune difesa

FARE QUATTRO PASSI
Passeggiare

FARSENE UNA RAGIONE
Rassegnarsi

FARE UNO STRAPPO ALLA REGOLA
Fare un'eccezione

FARE SCENA MUTA
Non rispondere alle domande

FARE UN SALTO DI QUALITÀ
Migliorare il livello

FARE PER SPORT
Fare solo per divertimento

FARE SCUOLA
Creare una moda

FARE UNA LEVATA DI SCUDI
Ribellarsi

FARE UNA SOFFIATA
Fare una spiata

FARNE UN AFFARE DI STATO
Dare una eccessiva importanza a qualcosa

FARCELA PER UN SOFFIO (o per un pelo)
Riuscire solo per poco o alla fine

FARE UN VOLTAFACCIA
Cambiare idea o opinione radicalmente

FARE LE COSE IN GRANDE STILE
Fare le cose senza badare a spese

FARE RIVOLTARE LO STOMACO
Provocare disgusto

FARE I CONTI IN TASCA
Calcolare con cura le spese o i soldi

FARE IL BELLO E IL CATTIVO TEMPO
Imporre la propria volontà

FARE TESTO
Essere un punto di riferimento

FARE TESORO DI QUALCOSA
Ricavare un insegnamento

FARE UNO STRAPPO ALLA REGOLA
Fare un'eccezione

FARE TESTA O CROCE
Affidarsi alla sorte con una monetina

FICCARSI IN TESTA QUALCOSA
Fissare in mente qualcosa

FARE IL TIFO
Sostenere con molto calore

FARE LA FINE DEL TOPO
Morire intrappolati

FARE DI NECESSITÀ VIRTÙ
Accettare ciò che non si può evitare

FARE LA CORTE
Corteggiare

FARE BUON VISO A CATTIVA SORTE
Accettare qualcosa di spiacevole

FARE LA VITA
Prostituirsi

FARE UNA PAPERA
Sbagliare la pronuncia di una parola o non parare un goal

– G –

GALLINA DALLE UOVA D'ORO
Una fonte sicura di guadagno senza fine

GALLO DEL POLLAIO
L'unico uomo in mezzo a tante donne

GATTA CI COVA!
Qualcosa non va, c'è un inganno

GETTARE ACQUA SUL FUOCO
Spegnere odi, risentimenti; cercare di attenuare i contrasti

GETTARE IL GUANTO
Sfidare, lanciare una sfida

GETTARE LA POLVERE NEGLI OCCHI
Imbrogliare, ingannare, confondere le idee, illudere

GETTARE LA SPUGNA
Arrendersi, rinunciare ad una impresa, considerarsi sconfitto

GETTARE OLIO SUL FUOCO
Riaccendere odi e risentimenti

GETTARE QUALCOSA DIETRO LE SPALLE
Cercare di dimenticare presto

GETTARSI A CAPOFITTO SU QUALCOSA
Impegnarsi seriamente per raggiungere un obiettivo

GIOCARE AL MASSACRO
Lottare senza concessioni

GIOCARE IN CASA
Agire in un ambiente favorevole

GIOCARSI L'ANIMA
Fare di tutto per ottenere qualcosa

GIOCO DEI BUSSOLOTTI
Imbroglio, truffa, raggiro, tranello

GIRARSI I POLLICI
Stare senza fare niente

GIRO DI VALZER
Improvviso cambiamento di atteggiamento nei confronti di qualcuno

GIUDIZIO SALOMONICO
Un giudizio che pone termine ad una disputa, ad una lite, dividendo esattamente a metà l'eventuale danno o svantaggio, con assoluta imparzialità

GROSSO PAPAVERO
Persona importante, specialmente nella vita pubblica

GUARDARE IL PELO NELL'UOVO
Essere troppo precisi, pignoli

GUARDARSI ALLE SPALLE
Stare attenti alle brutte sorprese

GIOCARE IN BORSA
Comprare e vendere azioni in borsa

GIOCARE A CARTE SCOPERTE
Non nascondere le proprie intenzioni

GIOCARE L'ULTIMA CARTA
Tentare di raggiungere uno scopo

GETTARE FANGO
Screditare

GUARDARE IN CAGNESCO
Guardare con avversione

GABBIA DI MATTI
Strano ambiente

GETTARE LA MASCHERA
Rivelare le proprie intenzioni

GIRARE A VUOTO
Non concludere nulla

GIRARE ALLA LARGA
Tenersi lontano

GOCCIA CHE FA TRABOCCARE IL VASO
Elemento che rompe un equilibrio

GIOCARE IL TUTTO PER TUTTO
Rischiare al massimo

GUADAGNARE TERRENO
Avvantaggiarsi

GUERRA DEI NERVI
Guerra psicologica

– I –

IN BARBA A..
A dispetto di, contro la volontà, ecc. ...

IN BOCCA AL LUPO!
Augurio rivolto a chi è in procinto di affrontare una situazione difficile, ad esempio un esame

"IN CAMERA CARITAS" (latino)
Nel segreto dell'intimità

INCARICO "AD INTERIM" (latino)
Incarico assunto per un breve periodo fino alla nomina del titolare

INCASSARE IL COLPO
Saper accettare una situazione avversa

INCENERIRE QUALCUNO
Trattare molto male qualcuno

IN COSTUME ADAMITICO
Nudo

INDORARE LA PILLOLA
Usare parole meno aspre per rendere accettabile qualcosa di non gradito

INDOVINALA GRILLO!
Espressione usata quando non si sa con precisione come andrà a finire una determinata situazione

INGOIARE IL ROSPO
Accettare una situazione spiacevole

IN POMPA MAGNA
Con grande sfarzo

IN QUATTRO E QUATTR'OTTO
In poco tempo

INSABBIARE QUALCOSA
Mettere a tacere o nascondere qualcosa

"INTER NOS" (latino)
In confidenza, tra noi

IN CARNE ED OSSA
Presenti fisicamente

INGANNARE L'ATTESA
Aspettare e fare qualcosa

IN MEN CHE NON SI DICA
In un attimo

IN PIANTA STABILE
Per sempre

IN FILA INDIANA
Uno dopo l'altro

IN FRETTA E FURIA
Con molta fretta

IN PRIMA PERSONA
Direttamente

IN PAROLE POVERE
In poche parole

INVENTARE DI SANA PIANTA
Inventare completamente

– L –

LACRIME DI COCCODRILLO
Finto pentimento

LAMBICCARSI IL CERVELLO
Sforzarsi di capire o di trovare una soluzione ad un determinato problema

LANCIARE IL SASSO (E NASCONDERE LA MANO)
Creare motivo di discordia o di discussione e poi non assumersene la responsabilità

LASCIARCI LA PELLE
Morire

LASCIARE CUOCERE NEL PROPRIO BRODO
Lasciare che uno faccia ciò che ritiene opportuno, pur avendolo avvertito dei rischi

LASCIARE IL CAMPO
Scappare, andarsene di fretta; abbandonare un'attività

LASCIARE SENZA FIATO
Impressionare assai

LAVARSENE LE MANI
Disinteressarsi di qualcosa e non assumersi alcuna responsabilità

LAVORARE SENZA CESSA
Lavorare senza sosta

LAVORARE SOTT'ACQUA
Agire di nascosto

LAVORARE IN NERO
Lavoro senza contributi assicurativi e senza tutela legislativa

LEGARSELA AL DITO
Ricordarsi di un torto ricevuto per poi vendicarsi

LEGGI DRACONIANE
Leggi severe, inflessibili

LEMME-LEMME
Piano piano, lentamente, adagio, ecc. ...

LEVARE LA PAROLA DI BOCCA
Prevenire qualcuno in ciò che sta per dire

"LONGA MANUS" (latino)
Una persona o una organizzazione che agisce per conto di gruppi di potere con scopi non sempre chiari

LOTTA SENZA QUARTIERE
Lotta molto dura, senza esclusione di colpi

LUNA DI MIELE
Armonia; il primo mese dolce e felice del matrimonio

"LUPUS IN FABULA" (latino)
È arrivata la persona di cui stavamo parlando prima!

LASCIARE ANDARE
Rilassarsi, arrendersi

LEVARE LE ANCORE
Partire

LASCIARE CORRERE
Non dare peso

LASCIARE A DESIDERARE
Essere inadeguato

LAVORARE PER LA GLORIA
Lavorare senza compenso

LASCIARE IL SEGNO
Produrre effetti duraturi

LASCIARE IL TEMPO CHE TROVA
Non avere conseguenze

LASCIARE L'AMARO IN BOCCA
Lasciare tristezza e rimpianto

LICENZIARE IN TRONCO
Licenziare senza preavviso

LEGGE DELLA GIUNGLA
Legge del più forte

LEGGERE TRA LE RIGHE
Intuire ciò che non viene spiegato

LEVARE LE TENDE
Andare via

LISCIO COME L'OLIO
Senza difficoltà o problemi

LUOGO COMUNE
Concetto banale

– M –

"MALA TEMPORA CURRUNT" (latino)
Viviamo in un brutto periodo!

MANDARE ALL'ARIA (O A MONTE) QUALCOSA
Fare fallire qualcosa

MANDARE A QUEL PAESE QUALCUNO
Mandare all'inferno qualcuno

MANDARE GIÙ IL ROSPO
Accettare qualcosa di sgradevole

MANDARE IN ONDA
Trasmettere via radio, televisione, ecc. ...

MANGIARE A QUATTRO PALMENTI
Mangiare veramente molto, a più non posso

MANGIARE COME UN LUPO
Mangiare con ingordigia

MANGIARE DA CANI
Mangiare male

MANGIARE LA FOGLIA
Capire che le cose stanno diversamente; capire una determinata situazione al volo

MANGIARSI LE PAROLE
Parlare affrettatamente

una MANO LAVA L'ALTRA
Se è reciproco, l'aiuto è sempre vantaggioso

la MATEMATICA NON È UN'OPINIONE
Paragonare l'esattezza di una propria convinzione alla matematica che è, appunto, una scienza esatta

MENARE ALLA CIECA
Colpire senza guardare dove

MENARE IL CAN PER L'AIA
Prolungare nel tempo una situazione senza concludere nulla

MENARE PER IL NASO
Burlarsi di qualcuno

MERCATO NERO
Mercato clandestino e illegale

METTERCI UNA PIETRA SOPRA
Considerare chiuso un argomento, un fatto; non pensarci più

METTERE AL BANDO
Allontanare, abolire, emarginare

METTERE ALLA BERLINA
Schernire, deridere

METTERE ALLA GOGNA
Esporre alla derisione

METTERE ALLE CORDE (O ALLE STRETTE)
Mettere in difficoltà; non concedere altre possibilità

METTERE ALL'INDICE
Censurare, biasimare

METTERE CON LE SPALLE AL MURO
Mettere in difficoltà, non concedere alternative

METTERE FUORI COMBATTIMENTO
Mettere qualcuno nell'impossibilità di reagire

METTERE I BASTONI TRA LE RUOTE
Intralciare volontariamente qualcosa o qualcuno

METTERE IL BECCO
Intromettersi, essere invadenti

METTERE IL CARRO DAVANTI AI BUOI
Fare qualcosa che, invece, andrebbe fatto dopo

METTERE IL DITO NELLA PIAGA
Affrontare un argomento spiacevole, delicato

METTERE IL NASO
Immischiarsi, intromettersi

METTERE IN PIAZZA
Rendere pubblico

METTERE I PUNTINI SULLE I
Puntualizzare, dire le cose come stanno

METTERE K.O.
Mettere l'avversario nell'impossibilità di reagire

METTERE LA LANCIA IN RESTA
Prepararsi allo scontro

METTERE LA MANO SUL FUOCO
Essere molto sicuri di qualcosa tanto da mettere, appunto, la mano sul fuoco

METTERE LA PULCE NELL'ORECCHIO
Fare allusioni subdole; insinuare sospetti

METTERE LA TESTA A POSTO
Diventare responsabili

METTERE LE CARTE IN TAVOLA
Scoprire le proprie intenzioni, dire chiaramente ciò che si pensa

METTERE LE MANI AVANTI
Usare precauzioni per prevenire pericoli, problemi, ecc. ...

METTERE LO ZAMPINO
Influire sull'esito di una vicenda

METTERE MOLTA CARNE AL FUOCO
Caricare troppo una situazione

METTERE NEL LIBRO NERO
Censurare, condannare, annoverare qualcuno nella lista dei nemici

METTERE NEL SACCO
Superare in abilità o imbrogliare qualcuno

METTERE NERO SU BIANCO
Mettere in forma scritta qualcosa; più in generale significa puntualizzare, dire le cose come stanno

METTERSI LE MANI NEI CAPELLI
Preoccuparsi, disperarsi

METTERSI NELLE MANI DI QUALCUNO
Affidarsi a qualcuno

“MODUS VIVENDI” (latino)
Modo di vivere

MONTARE SU TUTTE LE FURIE
Arrabbiarsi molto

MONTARSI LA TESTA
Credere di essere chissà chi

MORDERE IL FRENO (O LA POLVERE)
Venire sconfitto o umiliato

MORDERSI LA LINGUA
Pentirsi di avere detto qualcosa

MORIRE COME UN CANE
Morire da solo, senza nessuno vicino

“MORS TUA, VITA MEA” (latino)
La tua morte è la mia vita, cioè il danno di un altro può essere un guadagno per se stessi

MOSCA BIANCA
Persona o cosa rara

MOSCA COCCHIERA
Persona modesta che si illude di essere molto importante

MOSTRARE LA CORDA
Dare segni di stanchezza

MANCARE ALL’APPELLO
Essere assenti

METTERSI L’ANIMA IN PACE
Rassegnarsi

MANCARE IL BERSAGLIO
Fallire

MANGIARE IN BIANCO
Mangiare cibi leggeri senza sughi pesanti

METTERE AL CORRENTE
Informare

METTERE IN CAMPO
Avanzare delle proposte

MANDARE AL CREATORE
Uccidere

METTERE LINGUA
Intromettersi

METTERE IN CANTIERE
Progettare

METTERE SOTTO CHIAVE
Custodire con cura

METTERE IN CROCE
Tormentare

METTERSI IL CUORE IN PACE
Rassegnarsi

MANTENERE LE DISTANZE
Non entrare in confidenza

METTERE SU FAMIGLIA
Sposarsi e avere dei figli

MANGIARSI IL FEGATO
Serbare rancore

MOSTRARE I DENTI
Essere pronti a difendersi

METTERE A FUOCO
Individuare con precisione

METTERCI LA FIRMA
Accettare con entusiasmo

METTERSI IN GINOCCHIO
Umiliarsi

METTERE FUORI GIOCO
Sconfiggere

METTERE IN GIOCO
Rischiare

METTERE GIUDIZIO
Diventare responsabile

MANGIARSI LE MANI
Pentirsi

MANTENERE LA LINEA
Non ingrassare

MARCARE VISITA
Darsi malato

MARINARE LA SCUOLA
Non andare a scuola

METTERSI IN LUCE
Farsi notare

METTERE AL MURO
Fucilare

METTERE A NUDO
Scoprire

METTERE IN OMBRA
Oscurare, offuscare

METTERE SOTTO I PIEDI
Umiliare

METTERSI NEI PANNI DI QUALCUNO
Mettersi al posto di qualcuno

METTERE IN PIAZZA
Divulgare pubblicamente

MISURARE LE PAROLE
Parlare con prudenza

METTERE ALLA PORTA
Mandare via

METTERE A POSTO QUALCUNO
Rimproverare

METTERE UNA PULCE NELL'ORECCHIO
Insinuare un sospetto o un dubbio

METTERE A PUNTO QUALCOSA
Rifinire

MODO DI DIRE
Espressione che esprime un concetto attraverso una metafora o un'immagine figurata

METTERSI DI PUNTA
Impegnarsi seriamente a fare qualcosa

METTERE IN RIGA
Riportare all'ordine

MOSTRO SACRO
Personaggio di grande valore

METTERE RADICI
Stabilirsi per sempre in un posto

METTERE UNA QUESTIONE SUL TAPPETO
Sottoporre una questione all'attenzione pubblica

METTERE A SEGNO
Realizzare con successo

METTERCELA TUTTA
Impegnarsi al massimo

METTERE IN MEZZO A UNA STRADA
Ridurre in miseria

METTERSI AL PASSO COI TEMPI
Aggiornarsi

METTERCI LO ZAMPINO
Intromettersi

METTERSI IN TESTA QUALCOSA
Autoconvincersi di qualcosa

METTERSI IN VETRINA
Mettersi in mostra

MORALE DELLA FAVOLA
Sostanza di un discorso

– N –

NASCERE CON LA CAMICIA
Essere fortunato

NASCERE SOTTO UNA BUONA STELLA
Essere fortunato

NASCERE SOTTO UNA CATTIVA STELLA
Essere sfortunato

NASCONDERE LA TESTA COME GLI STRUZZI
Avere paura di assumersi le proprie responsabilità o di affrontare una determinata situazione

NAVIGARE IN BRUTTE ACQUE
Trovarsi in una brutta situazione

NESSUNO È PROFETA IN PATRIA
Raramente si è importanti e si viene apprezzati nel proprio ambiente

NODO GORDIANO
Una situazione complessa da risolvere

NON AVERE GLI OCCHI PER PIANGERE
Trovarsi in una situazione molto precaria

NON AVERE GRILLI PER LA TESTA
Non avere idee strane in testa; essere una persona seria

NON AVERE IL BECCO DI UN QUATTRINO
Non avere una lira; essere in miseria

NON AVERE NÉ ARTE NÉ PARTE
Non sapere fare nulla

NON AVERE NÉ CAPO NÉ CODA
Non avere né un principio, né una fine

NON AVERE PELI SULLA LINGUA
Dire ciò che si pensa

NON BATTERE UN CHIODO
Non combinare nulla; oziare

NON CAPIRE UN'ACCA (O UN ACCIDENTI)
Non capire nulla

NON CAVARE UN RAGNO DA UN BUCO
Non riuscire a concludere nulla

NON C'È ROSA SENZA SPINE
Ogni cosa bella ha i suoi lati spiacevoli

NON C'È UN CANE!
Non c'è nessuno!

NON È FARINA DEL TUO SACCO!
Non è un'idea tua! Non è un lavoro tuo!

NON ESSERCI ANIMA VIVA
Non esserci nessuno

NON ESSERE NÉ CARNE NÉ PESCE
Non essere una persona o una cosa ben definita

NON ESSERE UNO STINCO DI SANTO
Essere una persona poco raccomandabile

NON È TUTTO ORO QUELLO CHE LUCCICA
Non tutto ciò che splende è in realtà prezioso, perché l'apparenza spesso inganna

NON FARE NÉ CALDO, NÉ FREDDO
Rimanere insensibili o indifferenti a qualcosa

NON INGRANARE
Non riuscire a fare qualcosa

"NON PLUS ULTRA" (latino)
Non più oltre, cioè il migliore

NON SAPERE A CHE SANTO VOTARSI
Non sapere a chi raccomandarsi quando si è in difficoltà; non sapere a chi chiedere aiuto

NON SAPERE CHE PESCI PIGLIARE
Non sapere quale decisione prendere

NON STARE NÉ IN CIELO NÉ IN TERRA
Qualcosa che non ha fondamento, che non è credibile

NON STARE PIÙ NEI PANNI (O NELLA PELLE)
Non riuscire a dominare un'emozione; essere molto felice

NON TORCERE UN CAPELLO A QUALCUNO
Non fare del male a qualcuno

NON VALERE UN'ACCA
Non valere nulla

NON VALERE UN ACCIDENTI
Non valere nulla

NON VALERE UNA CICCA
Non valere nulla

NON VALERE UN BEL NIENTE
Non valere nulla

NON VALERE UN CAVOLO
Non valere nulla

NON VALERE UN CENTESIMO
Non valere nulla

NON VALERE UN SOLDO
Non valere nulla

NON VEDERE L'ORA
Essere impaziente di fare qualcosa o che arrivi un determinato momento

NUOTARE COME UN PESCE
Nuotare benissimo

NON CONTARLA GIUSTA
Mentire

NON ESSERE UN'AQUILA
Non essere molto intelligente

NON TIRA ARIA BUONA
Non è il momento opportuno

NON PERDERE UNA BATTUTA
Ascoltare tutto ciò che viene detto

NON SAPERE DOVE STA DI CASA
Ignorare del tutto qualcosa

NON FARCI CASO
Non badare

NON FARE TANTI COMPLIMENTI
Essere sbrigativi

NON C'È CHE DIRE
È proprio vero

NON ALZARE UN DITO
Non fare nulla

NON FARSELLO DIRE DUE VOLTE
Fare qualcosa subito

NON GUARDARE IN FACCIA NESSUNO
Non avere riguardi per nessuno

NON AVERNE LA PIÙ PALLIDA IDEA
Essere all'oscuro di qualcosa

NON SONO MICA NATO IERI!
Ho molta esperienza

NON IMBROCCARNE UNA
Non indovinarne una

NIDO DI VESPE
Ambiente pieno di risentimento

NON È LA FINE DEL MONDO!
Non è qualcosa di molto grave

NON FARE GRINZA
Essere perfetto

NON GUARDARE TANTO PER IL SOTTILE
Non badare ai dettagli

NON DARSENE PER INTESO
Fingere di non capire

NON MANDARLA A DIRE
Dire direttamente ciò che si pensa

NON ESSERE DA MENO
Essere pari agli altri

NON CONOSCERE MEZZE MISURE
Essere drastici

NON FARE UNA PIEGA
Rimanere impassibili

NON PERDERE D'OCCHIO
Tenere sotto controllo

NON POTERNE PIÙ
Essere stanchi o esasperati

NON PERDERE UNA SILLABA
Ascoltare attentamente

NON SENTIRE RAGIONI
Ostinarsi

NON CORRE BUON SANGUE
Non si è in buoni rapporti

NON C'È SANTO CHE TENGA
Non c'è niente da fare

NEANCHE PER SOGNO!
Assolutamente no!

MANCO MORTO!
Non lo farò mai!

NUOTARE NELL'ORO
Vivere nel benessere

NON STARCI CON LA TESTA
Essere confusi

NON DARSI PER VINTO
Non arrendersi

NON ESSERCI VERSO
Non esserci possibilità

NUOVO DI ZECCA
Nuovissimo

– O –

O BERE O AFFOGARE
Quando si è costretti a scegliere il male minore

OCCHIO DI LINCE
Vista acuta

l'OCCHIO VUOLE LA SUA PARTE
Ciò che viene presentato bene esteticamente piace di più

OGNI MEDAGLIA HA IL SUO ROVESCIO
Ogni situazione ha il suo aspetto buono e quello cattivo

OLIO DI GOMITO
Impegno

OLTRE IL DANNO LA BEFFA
Danno e derisione insieme

O MANGI QUESTA MINESTRA O SALTI LA FINESTRA!
La scelta è obbligata in quanto non c'è via d'uscita!

ORA DI PUNTA
Ora di maggiore traffico

– P –

PAGANINI NON RIPETE
Non si intende ripetere ciò che già si è detto

PAGA PANTALONE
Paga sempre il più debole per gli errori altrui

PAGARE ALLA ROMANA
Pagare ciascuno per proprio conto; dividere il conto in parti uguali, ad esempio al ristorante

PAGARE IL FIO
Pagare il debito

PAGARE LO SCOTTO
Pagare per le proprie colpe

PANCIA MIA FATTI CAPANNA!
Un'esortazione a mangiare il più possibile

i PANNI SPORCHI SI LAVANO IN FAMIGLIA
Le liti, i problemi, ecc. ... non vanno resi pubblici, ma devono essere risolti nel proprio ambiente

"PARCE SEPULTO" (latino)
Perdona chi è sepolto

PARLARE A BRACCIO
Parlare o tenere un discorso senza leggere

PARLARE A QUATTR'OCCHI
Parlare personalmente con qualcuno

PARLARE A RUOTA LIBERA
Parlare senza freno, senza controllo

PARLARE COL MURO
Parlare senza essere ascoltati

PARLARE COME UN LIBRO STAMPATO
Parlare con ricercatezza; scandire le parole ad una ad una punteggiandole di pause

PARLARE DEL PIÙ E DEL MENO
Parlare un po' di tutto in modo superficiale

PARTIRE CON LA LANCIA IN RESTA
Partire con impeto, con decisione

PARTIRE CON L'HANDICAP
Essere penalizzato

PARTIRE IN QUARTA
Partire con decisione, con impeto

PASSARE ALLE VIE DI FATTO
Mettere in pratica, picchiarsi

PASSARE A MIGLIOR VITA
Morire

PASSARE DALLE STELLE ALLE STALLE
Passare da una situazione favorevole ad una avversa

PASSARE LA NOTTE IN BIANCO
Non riuscire a dormire tutta la notte

PASSARE UN BRUTTO QUARTO D'ORA
Passare un brutto momento; essere nei guai

PATIRE LE PENE DELL'INFERNO
Soffrire molto

la PAURA FA NOVANTA
La paura rende troppo timorosi

la PAZIENZA DI GIOBBE
Una pazienza illimitata

PECORELLA SMARRITA
Chi si pente e riprende le vecchie abitudini

"PECUNIA NON OLET" (latino)
Il denaro non ha odore

PEGGIO CHE ANDAR DI NOTTE
Una situazione che peggiora talmente da diventare pericolosa

PERDERE COLPI
Cominciare a fallire sempre più spesso

PERDERE IL BANDOLO DELLA MATASSA
Perdere il punto di riferimento per risolvere un problema

PERDERE IL BEN DELL'INTELLETTO
Non capire più; perdere la testa

PERDERE IL FILO DEL DISCORSO
Perdere la continuità del discorso

PERDERE IL LUME DELLA RAGIONE
Non ragionare più

PERDERE LA BUSSOLA
Perdere il controllo, l'orientamento; impazzire quasi; arrabbiarsi

PERDERE LA TESTA
Non capire più niente

PERDERE LE STAFFE
Perdere la pazienza, arrabbiarsi

PERDERSI D'ANIMO
Scoraggiarsi

PERDERSI IN UN BICCHIERE D'ACQUA
Confondersi totalmente per un nonnulla

PERDERSI NELLA NOTTE DEI TEMPI
Riferirsi a qualcosa di molto remoto e lontano nel tempo

PER FILO E PER SEGNO
Dettagliatamente

PER UN PELO
Per poco

PER UN PUNTO MARTIN PERSE LA CAPPA
Chi, per un nonnulla vede svanire lo scopo ormai raggiunto

PESARE LE PAROLE
Pensare bene a ciò che si dice

PESCE D'APRILE
Scherzo fatto il primo giorno d'aprile

il PESCE GROSSO MANGIA QUELLO PICCOLO
Spesso i potenti sconfiggono i più deboli

PESTARE I PIEDI A QUALCUNO
Andare volontariamente contro gli interessi di qualcuno

PEZZO DA NOVANTA
La persona più importante e potente

PEZZO GROSSO
Persona importante, specialmente nella vita pubblica

PIANGERSI ADDOSSO
Commiserarsi

PIANTARE BARACCA E BURATTINI
Abbandonare tutto e andarsene

PIANTARE GRANE
Causare problemi

PIANTARE IN ASSO
Abbandonare qualcuno improvvisamente

PIETRA DI PARAGONE
Termine di confronto, di misura, ecc. ...

PIETRA MILIARE
Un fatto, un avvenimento, una persona, ecc. ..., che rappresenta il punto di riferimento fondamentale di un processo storico, culturale, ecc. ... di un popolo

PINCO PALLINO
Persona sconosciuta

PIOVE, GOVERNO LADRO!
Esclamazione con cui si esprime il malcontento generalizzato verso il governo

PIOVE SUL BAGNATO
Quando ad una disgrazia se ne aggiunge un'altra

PORGERE L'ALTRA GUANCIA
Accettare con umiltà ingiustizie, offese, ecc. ...

PORTARE L'ACQUA AL PROPRIO MULINO
Fare i propri interessi

PORTARE LA PROPRIA CROCE
Provare le proprie sofferenze ed avere i propri guai

PORTARE QUALCUNO SUL PALMO DELLA MANO
Esaltare e decantare le doti di una persona

POVERO IN CANNA
Molto povero; senza una lira

PRENDERE DUE PICCIONI CON UNA FAVA
Ottenere due vantaggi in una volta sola

PRENDERE FISCHI PER I FIASCHI
Prendere un abbaglio, fraintendere

PRENDERE IL TORO PER LE CORNA
Affrontare con coraggio una determinata situazione

PRENDERE IN CASTAGNA QUALCUNO
Cogliere in errore qualcuno

PRENDERE IN CONTROPIEDE QUALCUNO
Cogliere di sorpresa qualcuno

PRENDERE IN GIRO
Burlarsi di qualcuno

PRENDERE LE REDINI
Prendere il comando

PRENDERE LUCCIOLE PER LANTERNE
Equivocare; prendere un abbaglio a causa ad esempio, di un malinteso; fraintendere

PRENDERE PER LA GOLA
Conquistare qualcuno con il cibo

PRENDERE QUALCOSA DI PETTO
Fare qualcosa con molta enfasi

PRENDERE SOTTOGAMBA
Prendere con leggerezza, con superficialità

PRENDERE UNA CANTONATA
Prendere un abbaglio

PRENDERE UNA CATTIVA STRADA
Comportarsi non rettamente

PRENDERE UNA PAPERA
Fare un errore

PRENDERE UNA SCUFFIA
Innamorarsi

PRENDERE UNA STECCA
Sbagliare nota suonando o cantando

PRENDERE UN GRANCHIO
Prendere un abbaglio, a causa, ad esempio, di un equivoco

PRENDERSI LA BRIGA DI FARE QUALCOSA
Assumersi la responsabilità, l'iniziativa di fare qualcosa

PRINCIPE AZZURRO
Lo sposo ideale

PROMETTERE MARI E MONTI
Fare molte promesse senza mantenerle

PUNGERE SUL VIVO
Ferire la suscettibilità di qualcuno

PARLARE ARABO
Parlare in modo poco comprensibile

PRENDERE UN ABBAGLIO
Cadere in un errore

PRENDERE UNA BOCCATA D'ARIA
Fare una passeggiata

PASSARSELA BENE
Stare bene economicamente

PERSONA A CARICO
Persona da mantenere

PESTARE I CALLI
Intralciare, disturbare

PARLARE A CASACCIO
Parlare a sproposito

PRENDERE CORPO
Assumere consistenza

PRENDERE LE DISTANZE
Tenere lontani persone o fatti ritenuti sgraditi

PERDERE LA FACCIA
Perdere la reputazione

PIANTARE IN ASSO
Lasciare in difficoltà o all'improvviso

PER FORZA DI COSE
Necessariamente

PIOVERE A CATINELLE
Piovere a dirotto

PRENDERE UNA COTTA
Innamorarsi

PORTARE BENE
Portare fortuna

PRENDERE ATTO
Constatare qualcosa

PRENDERE UNA BUFALA
Fare un grosso errore di valutazione

PRENDERE CON LE BUONE
Trattare gentilmente

PRENDERE PER BUONO
Accettare come vero

PRENDERE LA BUSTARELLA
Farsi corrompere

PRENDERSELA COMODA
Fare le cose con calma

PRESTARE FEDE
Credere

PRESTARE IL FIANCO
Esporsi

PRENDERE PER I FONDELLI
Prendere in giro, deridere

PRENDERE IN GIRO
Deridere

PRENDERLA CON FILOSOFIA
Rassegnarsi senza arrabbiarsi

PRESTARSI AL GIOCO
Assecondare

PASSARLA LISCIA
Evitare una punizione

PASSARE LA MANO
Rinunciare a qualcosa

PIANGERE SUL LATTE VERSATO
Prendersela per qualcosa quando è tardi

PIANGERSI ADDOSSO
Autocommiserarsi

PREDICARE BENE E RAZZOLARE MALE
Dare agli altri dei consigli che personalmente non si seguono

PER MODO DI DIRE
Solo a parole

PRENDERE IL LARGO
Andare via o lontano

PRENDERLA ALLA LARGA
Girare intorno ad un discorso prima di affrontare una questione

PRENDERE ALLA LETTERA
Attenersi al significato preciso delle parole

PRENDERCI LA MANO
Fare pratica

PASSARE IL SEGNO
Superare il limite di tolleranza

PRENDERE CON LE MOLLE
Trattare con cautela

PRENDERE PER ORO COLATO
Ritenere tutto vero

PAROLE GROSSE
Insulti

PAGARE SULL'UNGHIA
Pagare subito

PARLARE AL VENTO
Parlare senza essere ascoltati

PER PARTITO PRESO
Per puntiglio

PRENDERE IN PAROLA
Considerare quanto affermato come un impegno

PASSARE SOPRA A QUALCOSA
Non tenere conto di qualcosa

PASSARE LA PATATA BOLLENTE
Passare ad altri un problema difficile

PESCARE NEL TORBIDO
Approfittare di una situazione ambigua

PARTIRE CON IL PIEDE SBAGLIATO
Iniziare male qualcosa

PASSARE AL SETACCIO
Controllare un luogo con attenzione

PIOVERE DAL CIELO
Arrivare all'improvviso

PERDERE LO SMALTO
Perdere energia o vivacità

PRENDERE DI PUNTA
Accanirsi contro qualcuno

PRENDERE PIEDE
Diffondersi

PRENDERE POSIZIONE
Assumere un atteggiamento deciso in una questione

PRENDERE QUOTA
Progredire

PARLARE DIETRO LE SPALLE
Parlare male di qualcuno in sua assenza

PRENDERE UNA BRUTTA PIEGA
Prendere uno svolgimento negativo

PRENDERLA ALLA LARGA
Fare giri di parole

POVERO DI SPIRITO
Persona mediocre

PRENDERLE
Venire picchiato

PROVA DEL FUOCO
Prova più difficile e rischiosa

PASSARE PER LA TESTA
Venire in mente

PASSARNE TANTE
Subire molte vicende dolorose

PERDERE TERRENO
Restare indietro

PIANTARE LE TENDE
Fermarsi a lungo in un posto

PASSARE AL VAGLIO
Controllare attentamente

PREPARARE IL TERRENO
Creare una situazione favorevole

PERDERE IL TRENO
Perdere una buona occasione

PENSARLE TUTTE
Trovare tutte le soluzioni possibili

PERDERE DI VISTA
Non frequentare qualcuno o non risolvere un problema

PARTIRE DA ZERO
Cominciare dal nulla

PRENDERE AL VOLO
Approfittare di una buona occasione

PRENDERE IL VOLO
Fuggire

PRENDERE ALLA SPROVVISTA
Prendere di sorpresa

POSIZIONE DI STALLO
Situazione statica

– Q –

La QUADRATURA DEL CERCHIO
Cosa impossibile a farsi

QUESTIONI DI LANA CAPRINA
Questioni e argomenti futili, pignoli

QUI CASCA L'ASINO!
Un problema di difficile soluzione

"QUI PRO QUO" (latino)
Un malinteso, un equivoco

– R –

RACCOGLIERE IL GUANTO
Accettare una sfida

RAGAZZA ACQUA E SAPONE
Una ragazza semplice, che non si trucca, sincera

RAGIONAMENTI BIZANTINI
Discussioni sterili

REGGERE IL MOCCOLO
Facilitare l'incontro o favorire i rapporti tra due innamorati

REMARE CONTRO
Impegnarsi contro qualcuno o contro qualcosa

RENDERE PAN PER FOCACCIA
Rispondere ad un'offesa con un'altra offesa, vendicarsi

"REPETITA IUVANT" (latino)
Le cose ripetute giovano

RESTARE A BOCCA APERTA
Rimanere stupiti

RESTARE COME UN ALLOCCO
Rimanere quasi intontito, senza reagire

RESTARE CON UN PALMO DI NASO
Essere ingannato, burlato, insoddisfatto

RESTARE DI SASSO
Rimanere sbalordito

RESTARE LETTERA MORTA
Ciò che rimane senza effetto, non viene attuato o applicato

RE TENTENNA
Chi non sa prendere decisioni

RICEVERE UNA DOCCIA FREDDA
Ricevere una brutta notizia

RIDERE ALLE SPALLE DI QUALCUNO
Deridere qualcuno a sua insaputa

RIMANDARE ALLE CALENDE GRECHE
Rimandare in un tempo che non verrà mai

RIMANERE A BOCCA ASCIUTTA
Rimanere senza qualcosa che si sperava di ottenere

RIPETERE A PAPPAGALLO
Ripetere qualcosa senza, a volte, aver capito di cosa si tratti

RIPOSARE SUGLI ALLORI
Vivere di rendita delle esperienze passate

RISALIRE LA CHINA
Cercare di recuperare il tempo e le occasioni perdute

RISPONDERE A TONO
Rispondere a proposito

RISPONDERE PER LE RIME
Rispondere punto per punto

RISPONDERE PICCHE
Opporre un deciso rifiuto

RITIRARSI SULL'AVENTINO
Non partecipare, boicottare

RITROVARSI CON UN PUGNO DI MOSCHE
Non ottenere alcun risultato, restare senza niente

ROBA DA CHIODI
Idee, azioni e discorsi strani, biasimevoli

ROMPERE IL GHIACCIO
Rompere l'imbarazzo, fare il primo passo, superare le prime difficoltà

ROMPERE L'ANIMA (O LE SCATOLE)
Dare fastidio

ROMPERE LE UOVA NEL PANIERE
Far fallire i piani di qualcuno, mandare all'aria

RACCONTARE BALLE
Dire cose non vere

RENDERE L'ANIMA A DIO
Morire

RESTARE A BOCCA ASCIUTTA
Non ottenere nulla

RESTARE PADRONE DEL CAMPO
Vincere

RECITARE LA COMMEDIA
Fingere emozioni e sentimenti

RIDERE DI CUORE
Ridere veramente

RIDERE SOTTO I BAFFI
Sorridere di nascosto

RIDERE A DENTI STRETTI
Ridere controvoglia

RIGARE DRITTO
Comportarsi bene

RIFARSI LA BOCCA
Annullare qualcosa di negativo con una cosa piacevole

RIFERIRE PER SOMMI CAPI
Riferire solo le cose più importanti

RIVOLTARE COME UN CALZINO
Esaminare con attenzione

RIMETTERCI ANCHE L'OSSO DEL COLLO
Andare in rovina

RENDERE L'IDEA
Far comprendere qualcosa

RINCARARE LA DOSE
Peggiorare una situazione

RESTARE SENZA FIATO
Essere sbalorditi

RESTARE SOTTO I FERRI
Morire durante un intervento chirurgico

RESTARE A MANI VUOTE
Non ottenere nulla

RIMBOCCARSI LE MANICHE
Mettersi a lavorare con impegno

RINFRESCARSI LE IDEE
Riordinare le idee

RIPAGARE CON LA STESSA MONETA
Ricambiare alla stessa maniera

RIPRENDERE FIATO
Recuperare le forze

RITIRARSI IN BUON ORDINE
Rassegnarsi a una sconfitta

RESTARE AL PALO
Non approfittare di una buona occasione

RIVOLTARE LA FRITTATA
Affermare il contrario di quanto si è detto prima

RESTARE SENZA PAROLE
Restare allibiti

ROVESCIO ALLA MEDAGLIA
Il lato negativo di qualcosa

ROVINARE LA PIAZZA
Screditare per danneggiare

RESTARCI SECCO
Morire

RESTARE A SECCO
Esaurire qualcosa, ad esempio i soldi o la benzina

RICAMARCI SOPRA
Arricchire una notizia con troppi particolari

RESTARE IN SELLA
Riuscire a mantenere una determinata posizione sociale

RESTARE DI STUCCO
Restare allibiti

RIMETTERE IN SESTO
Rimettere in una condizione ottimale

RIMETTERCI DI TASCA PROPRIA
Pagare di persona le conseguenze di qualcosa

– S –

SALIRE AL SETTIMO CIELO
Entusiasmarsi; essere molto felice

SALIRE IN CATTEDRA
Dare dei consigli in modo non certo umile

SALTARE DI PALO IN FRASCA
Passare all'improvviso da un argomento all'altro

SALTARE I PASTI
Non mangiare

SALTARE LA MOSCA AL NASO
Arrabbiarsi

SALVARE CAPRA E CAVOLI
Salvare due interessi opposti

SALVARSI IN CORNER
Salvarsi all'ultimo momento

SAPERNE UNA PIÙ DEL DIAVOLO
Essere molto astuto, molto abile

SBARCARE IL LUNARIO
Tirare avanti alla meglio; sopravvivere, arrangiarsi

SCENDERE DALLE STELLE ALLE STALLE
Passare da una situazione favorevole ad una avversa

Gli SCHELETRI NELL'ARMADIO
Qualcosa di cui ci vergogna; qualcosa di cui si ha paura che venga a conoscenza di tutti

SCHERZARE COL FUOCO
Correre dei rischi

SCHIACCIARE UN PISOLINO
Dormire un po'

SCIVOLARE SU UNA BUCCIA DI BANANA
Fallire per una banalità

SCOPPIARE DALLA RABBIA
Non riuscire a contenere la rabbia

SCOPPIARE DALLE RISA
Non riuscire a contenere le risa

SCOPPIARE DI SALUTE
Avere una salute perfetta

SCOPRIRE GLI ALTARINI
Scoprire i segreti di qualcuno

SCOPRIRE L'ACQUA CALDA
Scoprire o dire cose scontate

SCOPRIRE L'AMERICA
Presumere di avere fatto o aver trovato qualcosa, senza alcun pregio o novità

il SEGRETO DI PULCINELLA
Qualcosa che dovrebbe essere segreto ma che tutti sanno

SEGUIRE A RUOTA
Seguire a breve distanza

SEMINARE ZIZZANIA
Creare discordia, dissensi

SENTIRE ANCHE L'ALTRA CAMPANA
La verità non è sempre da una parte sola

SENTIRSI A PEZZI
Sentirsi debilitati o demoralizzati

SENTIRSI A TERRA
Essere giù di morale

SENTIRSI IN VENA
Stare bene, essere nelle migliori condizioni

SENZA BATTE CIGLIO
Senza alcuna emozione; immediatamente

SENZA COLPO FERIRE
Senza alcun danno

SENZA INFAMIA E SENZA LODE
Con mediocrità, in maniera piatta

SEPOLCRO IMBIANCATO
Ipocrisia, falsità e severità insieme

SE SON ROSE FIORIRANNO
Solo dopo aver visto gli effetti, si potrà giudicare

"SINE DIE" (latino)
A tempo indeterminato

SOFFIARE SUL FUOCO
Rinfocolare odi, risentimenti

SOGNARE AD OCCHI APERTI
Fantasticare, sperare qualcosa di bello

SOLO COME UN CANE
Molto solo

SOTTO L'EGIDA
Sotto la protezione, la tutela

SPACCARE IL MINUTO
Essere puntuali

SPADA DI DAMOCLE
Un pericolo sempre presente

SPARARE A ZERO
Sparlare di qualcuno o di qualcosa

SPEZZARE UNA LANCIA
Prendere le difese di qualcuno

SPREMERE QUALCUNO COME UN LIMONE
Approfittarsi di qualcuno

SPUTARE IL ROSPO
Dire la verità

STARE ABBOTTONATO
Non parlare

STARE CON GLI OCCHI APERTI
Vigilare

STARE CON LE MANI IN MANO
Non reagire, non fare niente

STARE FRESCO
Trovarsi in cattive condizioni; andare incontro a sanzioni, fastidi

STARE IN CAMPANA
Stare all'erta, attenti

STARE IN PARADISO A DISPETTO DEI SANTI
Stare in un posto senza essere gradito

STARE PIGIATO COME UN'ACCIUGA (O COME LE SARDINE)
Stare pigiato in un posto

STARE SUI CARBON I ARDENTI
Essere molto nervoso ed in ansia

STARE SUL CHI VIVE
Vigilare

STARE SUL GOZZO
Essere antipatico

STARE SULLE SPINE
Essere molto nervoso ed in ansia

STARE SULLE SUE
Non dare confidenza

"STATUS QUO" (latino)
Uno stato di cose bloccato nella situazione precedente

STRACCIARE LE VESTI
Scandalizzarsi, disperarsi

STRINGERE LA CINGHIA
Fare dei sacrifici

SUBIRE UNO SCACCO
Avere un insuccesso

SUDARE FREDDO
Essere molto nervoso e spaventato

SUDARE SETTE CAMICIE
Compiere un grande sforzo, faticare molto

SMUOVERE LE ACQUE
Sbloccare una situazione

SULLE ALI DEL VENTO
A grande velocità, con entusiasmo

SULLE ALI DELLA FANTASIA
In un mondo fantastico

SMUSSARE GLI ANGOLI
Ammorbidire un contrasto

SENZA ANIMA
Insensibili, senza identità

SALVARE LE APPARENZE
Nascondere qualcosa di cui ci si vergogna

SENZA APPELLO
Senza possibilità di modifica

SFODERARE GLI ARTIGLI
Essere aggressivi

SCALDARE IL BANCO
Frequentare le lezioni in modo passivo, senza impegno e senza entusiasmo

SCENDERE IN CAMPO
Partecipare ad una competizione politica o sportiva

SCOPRIRE LE PROPRIE CARTE
Rivelare le proprie intenzioni

SEGUIRE LA CORRENTE
Adeguarsi alle decisioni e alle mode della maggioranza

SPREMERSI LE MENINGI
Sforzare la mente, pensare molto

STARE ALLE CALCAGNA
Tallonare

SCOMMETERCI LA TESTA
Essere sicuri di qualcosa

SEGUIRE PUNTO PER PUNTO
Seguire in modo particolare e con metodo

SEMBRARE LA MORTE IN VACANZA
Avere un brutto aspetto

SENTIRSELA
Essere disposti a fare qualcosa di molto impegnativo

SENZA MEZZI TERMINI
Senza riguardi

SEMINARE AL VENTO
Sprecare tempo, lavoro e parole inutilmente

SENTIRE PUZZA DI BRUCIATO
Avvertire e capire un inganno

SILENZIO DI TOMBA
Silenzio assoluto

NON SENTIRE VOLARE UNA MOSCA
Non sentire niente

STENDERE UN VELO PIETOSO
Tacere verità ed episodi spiacevoli

SOPRA LE RIGHE
Eccessivo

STACCARE LA SPINA
Allentare la tensione e rilassarsi

STARE SULLO STOMACO
Suscitare antipatia

STRINGERE I TEMPI
Affrettarsi

STRAPPARE LE LACRIME
Commuovere

STRAPPARSI I CAPELLI
Disperarsi

SPEZZARE IL CUORE
Dare un grande dolore

STARE A CUORE
Essere molto importante

SULLA CARTA
In teoria

SALVARE LA FACCIA
Uscire in maniera dignitosa da una situazione difficile

STARE ALL'ERTA
Vigilare

SALVARE LA FORMA
Salvare le apparenze

SAPERE IL FATTO PROPRIO
Essere sicuri di se stessi

SCAVARSI LA FOSSA DA SOLI
Rovinarsi con le proprie mani

SCOPRIRE IL GIOCO
Smascherare

SENTIRE UN GROPPO ALLA GOLA
Sentirsi commossi

SCATENARE UN INFERNO
Creare un gran caos

SAPERLA LUNGA
Non essere ingenui

SPARARE ALL'IMPAZZATA
Sparare senza un bersaglio preciso

SPORCARSI LE MANI
Partecipare ad un'azione poco pulita

SPRECARE IL FIATO
Parlare inutilmente

SENTIRSI CROLLARE IL MONDO ADDOSSO
Essere presi dalla disperazione

SENZA MORDENTE
Senza interesse

SALTARE AGLI OCCHI
Essere evidente

SPENDERE UNA BUONA PAROLA
Parlare in favore

STARE AL GIOCO
Accettare le regole di una situazione

SEGNARE IL PASSO
Non progredire

STARE ALLA FINESTRA
Assistere a qualcosa senza intervenire, aspettare gli eventi

STARE COL FIATO SOSPESO
Ascoltare con ansia o con molta attenzione

SCENDERE A PATTI
Arrivare a un compromesso

STARE IN PENSIERO
Essere preoccupati

STARE IN PRIMA LINEA
Essere esposti a pericoli

SU TUTTA LA LINEA
Completamente

SUL LASTRICO
In povertà

SUPERARE IL LIVELLO DI GUARDIA
Superare il livello massimo di sopportazione

SALTARE IN TESTA
Venire in mente all'improvviso

SFONDARE UNA PORTA APERTA
Cercare di dimostrare qualcosa di ovvio

SAPERE QUELLO CHE BOLLE IN PENTOLA
Sapere quello che succede

SCENDERE IN PIAZZA
Partecipare ad una manifestazione pubblica

SOLLEVARE UN POLVERONE
Creare un grande trambusto

SAPERCI FARE
Essere abili

SPUTARE NEL PIATTO IN CUI SI MANGIA
Essere ingrati, non essere riconoscenti

STARE AL PROPRIO POSTO
Comportarsi secondo la propria posizione sociale

SCHERZO DA PRETE
Scherzo di cattivo gusto

SAPERLA LUNGA
Essere smaliziati

SOLLEVARE UN VESPAIO
Suscitare proteste

STRISCIARE COME UN VERME
Essere servili

SPECCHIETTO PER LE ALLODOLE
Espediente per attirare qualcuno

STESSA LUNGHEZZA D'ONDA
In sintonia

– T –

TAGLIARE I PONTI COL PASSATO (O CON QUALCUNO)
Non avere più rapporti col passato o con qualcuno

TAGLIARE LA CORDA
Scappare via, fuggire, andarsene di nascosto

TAGLIARE LA STRADA
Ostacolare

TAGLIARE LA TESTA AL TORO
Prendere una decisione troncando ogni indugio

il TALLONE D'ACHILLE
Il punto debole di una persona

TASTARE IL POLSO
Sondare, valutare una situazione attraverso domande; cercare di capire le intenzioni di qualcuno

TASTARE IL TERRENO
Fare i tentativi per verificare una determinata situazione

TAVOLA ROTONDA
Un gruppo di esperti riuniti per un dibattito, per un incontro

TEMPO DA CANI
Brutto tempo

il TEMPO DELLE VACCHE GRASSE
Il tempo dell'abbondanza, della ricchezza

il TEMPO È DENARO
Non bisogna perdere tempo

TENERE A BATTESIMO
Inaugurare, essere il padrino, la madrina, il patrocinatore di qualsiasi tipo di attività

TENERE BORDONE
Assecondare, favorire, acconsentire specie in azioni non del tutto oneste

TENERE GLI OCCHI APERTI
Stare attenti

TENERE IL PIEDE IN DUE STAFFE
Barcamenarsi tra due situazioni per ricavarne un vantaggio

TENERE IL SACCO
Essere complice in qualcosa non sempre lecito

TENERE IN SCACCO
Bloccare qualcuno

TENERE LA BOCCA CUCITA
Non parlare

TENERE LA PROPRIA MANO
Guidare a destra (in Italia)

TENERE MANO
Essere complice in qualcosa non sempre lecito

TENERE MANO
Essere complice in qualcosa non sempre lecito

TENERE SULLA CORDA (O SULLE SPINE)
Lasciare nell'incertezza

TENERE TESTA A QUALCUNO
Controbattere con decisione le tesi di qualcuno

TERRA DI NESSUNO
Un posto abbandonato in cui tutti possono fare ciò che vogliono

TERRA PROMESSA
Un paese ricco di ricorse e per questo tanto desiderato

TIRARE AVANTI LA BARACCA
Sopravvivere, tirare avanti alla meglio

TIRARE IN BALLO QUALCOSA
Riferirsi a qualcosa e discuterne; ritornare su un determinato argomento

TIRARE I REMI IN BARCA
Ritirarsi da un'attività

TIRARE L'ACQUA AL PROPRIO MULINO
Fare il proprio interesse

TIRARE LE CUOIA
Morire

TIRARE LE SOMME
Concludere

TIZIO, CAIO E SEMPRONIO
Persone indeterminate che non si vuole nominare

TOCCARE FERRO
Fare degli scongiuri

TOCCARE IL CIELO CON UN DITO
Entusiasmarsi, essere molto felici

TOCCARE UN BRUTTO TASTO
Affrontare un argomento delicato

TOGLIERE LE CASTAGNE DAL FUOCO
Risolvere un determinato problema

TOGLIERSI UN PESO DALLO STOMACO
Liberarsi di un problema

TORNARE A BOMBA
Tornare sull'argomento principale dopo la divagazione

TORNARE A MANI VUOTE
Tornare senza avere concluso nulla

TORNARE CON LE CODA TRA LE GAMBE
Tornare, umiliati, senza avere concluso nulla

TORNARE CON LE PIVE NEL SACCO
Tornare senza avere concluso nulla

TRATTARE A PESCI IN FACCIA
Trattare male qualcuno

TRATTARE DA CANE
Trattare male

TROVARE IL BANDOLO DELLA MATASSA
Trovare la chiave, il modo per risolvere un problema

TROVARE PANE PER I PROPRI DENTI
Trovarsi davanti ad un avversario molto duro

TROVARSI IN CATTIVE ACQUE
Essere in difficoltà

TROVARSI IN UN VICOLO CIECO
Non riuscire a trovare una soluzione ad un determinato problema

TUTTI I NODI VENGONO AL PETTINE
Le situazioni poco chiare, prima o poi, dovranno essere risolte

TUTTE LE STRADE PORTANO A ROMA
C'è sempre una strada che può portarci ovunque anche a raggiungere uno scopo

TARPARE LE ALI
Ostacolare in qualche attività

TENERE A BADA
Tenere sotto controllo

TENERE BUONO
Tenere tranquillo

TENERSI BUONO
Mantenere un buon rapporto

TOPO D'ALBERGO
Ladro in furti in albergo

TAGLIARE CORTO
Affrettare le conclusioni

TIRARE A CAMPARE
Vivere accontentandosi di poco

TIRARE LA CINGHIA
Fare economia, risparmiare molto

TIRARE TROPPO LA CORDA
Eccedere in un determinato atteggiamento

TENERE A DISTANZA
Non dare confidenza

TENERE DURO
Resistere

TORNARE ALLA CARICA
Ripetere un tentativo non riuscito

TOGLIERE IL DISTURBO
Congedarsi dopo una visita

TIRARE IL FIATO
Provare sollievo, riposarsi, fare una pausa

TRATTENERE IL FIATO
Essere in ansia

TROVARE DA DIRE (E DA RIDIRE)
Criticare

TIRARE LE FILA
Arrivare alla conclusione di un discorso

TREMARE COME UNA FOGLIA
Avere molta paura

TOCCARE IL FONDO
Arrivare al massimo stadio di crisi

TROVARSI TRA DUE FUOCHI
Trovarsi tra due pericoli

TRATTARE CON I GUANTI
Trattare con molti riguardi

TOGLIERE L'INCOMODO
Accomiatarsi

TUTTO D'UN FIATO
Tutto di seguito

TUTTO FUMO E NIENTE ARROSTO
Senza sostanza

TROVARSI TRA L'INCUDINE E IL MARTELLO
Essere senza via d'uscita in una situazione

TIRARSI INDIETRO
Ritirarsi

TENERSI LEGGERO
Mangiare poco

TENERE LE MANI A POSTO
Evitare di toccare

TENERE (O AVERE) IL MUSO
Essere di cattivo umore

TENERE D'OCCHIO
Sorvegliare

TANTO PAGA PANTALONE!
Tanto pagano sempre gli stessi…

TENERE (O AVERE) IN PUGNO
Avere in proprio potere

TIRARE LE ORECCHIE
Rimproverare in maniera bonaria

TEMPO DA LUPI
Brutto tempo

TOCCARE CON MANO
Accertarsi personalmente

TOGLIERE DI MEZZO
Eliminare

TOGLIERE LA PAROLA DI BOCCA
Anticipare ciò che un'altra persona ha intenzione di dire

TORNARE SUI PROPRI PASSI
Tornare sulle proprie decisioni

TIRARSI INDIETRO
Cambiare idea riguardo un determinato progetto

TRAMARE NELL'OMBRA
Congiurare in segreto

TAGLIARE FUORI QUALCUNO
Emarginare qualcuno

TOCCARE IL TASTO GIUSTO
Trovare l'argomento adatto

TIRARE FUORI LE UNGHIE
Diventare aggressivi

TAGLIARE I VIVERI
Privare dei mezzi di sostentamento

TOCCARE SUL VIVO QUALCUNO
Colpire qualcuno nel suo lato debole

TIRARE LA VOLATA
Aiutare qualcuno a vincere

TORNARE SULLA RETTA VIA
Redimersi

TROVARE L'AMERICA
Trovare una situazione molto favorevole

– U –

UCCEL DI BOSCO
Una persona che non si trova, irreperibile

gli ULTIMI SARANNO I PRIMI
Una conclusione, tratta dal Vangelo, per i deboli e i poveri nei confronti dei forti e dei ricchi

UNA RONDINE NON FA PRIMAVERA
Un solo segnale positivo spesso non è sufficiente a cambiare una determinata situazione

UNIRE L'UTILE AL DILETTEVOLE
Associare qualcosa di utile a qualcosa di piacevole

UOMO DI PAGLIA
Prestanome, chi viene manovrato da altri nell'ombra; un uomo che non conta nulla

l'UOVO DI COLOMBO
Una soluzione molto semplice a cui nessuno aveva mai pensato

USARE DUE PESI E DUE MISURE
Valutare in modo diverso due situazioni simili

USARE IL BASTONE E LA CAROTA
Alternare metodi duri a maniere dolci; trattare qualcuno un po' con le buone e un po' con le cattive maniere

USCIRE DAI GANGHERI
Arrabbiarsi molto

USCIRE DAL SEMINATO
Deviare dall'argomento trattato

URTARE I NERVI
Irritare

USCIRE DAI BINARI
Andare fuori argomento

USCIRE DI SCENA
Rititarsi

USCIRE DAL TUNNEL
Uscire da una brutta situazione

USCIRE ALLO SCOPERTO
Rivelare le proprie intenzioni

USCIRNE CON LE OSSA ROTTE
Essere molto danneggiati da qualcosa

UNA TANTUM
Una volta sola

UTILE IDIOTA
Chi, senza saperlo, procura un vantaggio a qualcuno

VASO DI PANDORA
Qualcosa di molto bello che però può provocare dei guai se qualcuno cerca di modificarlo

VEDERCI CHIARO
Capire come stanno effettivamente le cose

VEDERE "DE VISU" (latino)
Vedere con i propri occhi

VEDERE IL SOLE A SCACCHI
Essere in prigione

VEDERE LA MALA PARATA
Rendersi conto di una situazione spiacevole

VEDERE LE STELLE
Provare un intenso dolore fisico

VENDERE CARA LA PELLE
Non arrendersi

VENDERE FUMO
Dire o fare cose poco credibili; beffare

VENIRE A GALLA
Venire allo scoperto, a conoscenza

VENIRE AI FERRI CORTI
Venire ad un confronto decisivo, essere sul punto di rottura

VENIRE ALLE MANI
Picchiarsi

VENTO DI FRONDA
Aria di rivolta, di congiura

VERITÀ LAPALISSIANA
Una verità evidente, senza equivoci

VERSARE LACRIME DI COCCODRILLO
Fare finta di pentirsi

VESTIRSI DELLA PELLE DEL LEONE
Nascondere la propria debolezza

VITTORIA DI PIRRO
Una vittoria ottenuta a caro prezzo

VIVERE ALLA GIORNATA
Vivere senza pensare al futuro

VIVERE ALLE SPALLE DI QUALCUNO
Farsi mantenere da qualcuno

VIVERE NEL MONDO DELLA LUNA (O DEI SOGNI)
Vivere fuori della realtà

VOLERE LA BOTTE PIENA E LA MOGLIE UBRIACA
Volere due cose che non si possono avere contemporaneamente

VOLO PINDARICO
Un passaggio improvviso e ingiustificato da un argomento ad un altro

VOLTARE LE SPALLE A QUALCUNO
Non aiutare qualcuno nel momento del bisogno

"VOX POPULI, VOX DEI" (latino)
L'opinione pubblica a volte corrisponde alla verità

VUOTARE IL SACCO
Dire tutto ciò che si sa o si pensa

VEDERE COME BUTTA
Controllare l'andamento di una situazione

VENDERE L'ANIMA AL DIAVOLO
Fare qualsiasi cosa pur di ottenere uno scopo

VEDERNE DI TUTTI I COLORI
Avere molte esperienze in molti settori della vita

VENIRE A PATTI
Essere più disponibili

VENIRE A MITI CONSIGLI
Diminuire le pretese

VENIRE A CAPO DI QUALCOSA
Risolvere qualcosa

VESTIRSI IN BORGHESE
Non indossare l'uniforme militare

VENIRE A PATTI CON IL DIAVOLO
Fare il possibile e a ogni costo per ottenere qualcosa. Scendere a qualsiasi compromesso

VEDERCI DOPPIO
Essere ubriachi

VEDERE IL FONDO
Arrivare alla fine di qualcosa

VENIRE (O ARRIVARE) AL SODO
Arrivare all'argomento che interessa

VENIRE AL DUNQUE
Arrivare al nocciolo della questione

VENDERE ALL'INCANTO
Vendere all'asta pubblica

VENIRE DALLA GAVETTA
Iniziare la propria carriera dal livello più basso

VENIRE INCONTRO
Favorire

VEDERE TUTTO NERO
Essere molto pessimisti

VEDERE LA LUCE
Nascere, iniziare

VENIRE ALLA LUCE
Nascere

VENIRE DAL MONDO DELLA LUNA
Vivere fuori dalla realtà

VENIRE AL MONDO
Nascere

VINCERE UN TERNO AL LOTTO
Avere un colpo di fortuna

VENIRE SU DAL NIENTE
Essere di umile origine

VEDERE DI BUON OCCHIO
Considerare in maniera favorevole

VITA DA NABABBO
Vita sontuosa

VALE TANTO ORO QUANTO PESA
Persona di grande valore

VENDERE A PESO D'ORO
Vendere a un prezzo molto alto

VITA DA CANI
Vita povera ed infelice

VOLONTÀ DI FERRO
Volontà molto forte

VOCE DI CORRIDOIO
Notizia non ufficiale

VOLTARE PAGINA
Cambiare modo di vivere

– Z –

ZOCCOLO DURO
Nel gergo politico è la base elettorale di un partito che non vuole rinnegare le proprie radici

Conclusione

Alla fine di questo "viaggio" interessante tra tanti modi di dire la cui origine, spesso, si perde nella notte dei tempi, non possiamo fare a meno di ricordare che questo testo è rivolto a tutti coloro che, studiando l'italiano, devono spesso affrontare situazioni sempre diverse e tante locuzioni idiomatiche il cui significato può apparire curioso ed incomprensibile. L'intento di questo manuale è, appunto, quello di colmare il divario tra un apprendimento meccanico della lingua e la sua applicazione pratica. Si rivolge pertanto a studenti già in possesso di una conoscenza di base dell'italiano in modo da consentire loro di interagire sul piano del normale parlare quotidiano.

Bibliografia essenziale

BECCARIA G.L., *I linguaggi settoriali in Italia*, Milano, 1973.

BECCARLA G.L., *Italiano critico e nuovo*, Milano, 1988.

D'ADDIO COLOSIMO W., *Lingua straniera e comunicazione*, Bologna, 1974.

Dardano M., *La formazione delle parole nell'italiano di oggi*, Roma, 1978.

FOCHI F., *Lingua in rivoluzione*, Milano, 1966.

LESINA R., *Il manuale di stile*, Bologna, 1986.

MARCHI C., *In punta di lingua*, Milano, 1992.

MARCHI C., *Siamo tutti latinisti*, Milano, 1986.

MENGALDO P.V., *Storia della lingua italiana*, Bologna, 1994.

MIGLIORINI B., *Saggi sulla lingua italiana del '900*, Firenze, 1963.

MIGLIORINI B., *Storia della lingua italiana*, Firenze, 1960.

MIGLIORINI B., *La lingua italiana nel novecento*, Firenze, 1990.

PRATI A., *Storie di parole italiane*, Milano, 1960.

TAGLIAVINI C., *Le origini delle lingue neolatine*, Bologna, 1976.

ZAMBONI A., *L'etimologia*, Bologna, 1976.

ZOLLI P., *Come nascono le parole italiane*, Milano, 1989.

Finito di stampare nel mese di giugno 2010
da Grafiche CMF - Foligno (PG)
per conto di Guerra Edizioni - Guru s.r.l.